Grrrls

Garotas iradas

Dados Internacionais de Catalogação na Publicação (CIP)
(Câmara Brasileira do Livro, SP, Brasil)

Leonel, Vange, 1963-
Grrrls: garotas iradas / Vange Leonel. - São Paulo : Summus, 2001.

Bibliografia.
ISBN 85-86755-27-3

1. Agressividade (Psicologia) 2. Feminismo - Brasil 3. Homossexualidade feminina 4. Lésbicas - Psicologia. I. Título.

01-0113 CDD-115.232086643

Índices para catálogo sistemático:

1. Agressividade em lésbicas : Psicologia
155.232086643

Grrrls

Garotas iradas

VANGE LEONEL

Projeto gráfico e capa: **Brasil Verde**
Editoração eletrônica: **Acqua Estúdio Gráfico**
Editora responsável: **Laura Bacellar**

Edições GLS
Rua Itapicuru, 613 conj. 72
05006-000 São Paulo SP
Fone (11) 3862-3530
http://www.edgls.com.br

Atendimento ao consumidor:
Summus Editorial
Fone (11) 3865-9890

Vendas por atacado:
Fone (11) 3873-8638
Fax (11) 3873-7085
vendas@summus.com.br

Impresso no Brasil

SUMÁRIO

APRESENTAÇÃO

Definição de sexo: Em sexo se está metido desde o início, mas sexo pode mudar em contato com as atmosferas. Meninos e meninas estranhos às diferenças das boas causas de famílias, insistem nas mesmas coisas dos outros iguais, sendo homossexuais. Transexuais vão e vem, como qualquer um de nós, pobres coitados. Desde um ponto bem legal, sexo é dois: um (e/ou uma) de cá, outro (e/ou outra) de lá. Mais que dois é mais que sexo, na melhor sem-vergonhice. Nem todo sexo à meia-luz é meio sexo. Todo sexo é escuro, a partir de um certo pedaço de mau caminho. Sexo, fora disso (ou daquilo) é masturbação.

Pois é... em sexo estamos metidos desde o princípio, naturalmente. E a natureza, em sua sábia diversidade, põe prazeres múltiplos à disposição de apetites variados.

Este é, aliás, um assunto que os brasileiros em especial, têm na ponta da língua. Países que se apresentam como muito mais civilizados que o nosso costumam ter mais dificuldades de tornar público o debate de um tema como este. Fiquemos alertas: moral e civilização nem sempre caminham juntos.

Por aqui, ora, falamos do assunto! Produzimos reportagens, pesquisas, veiculamos entrevistas. Também o representamos (muito mal, diga-se de passagem), em sete ou oito péssimas telenovelas. Programas de auditório vão da exploração mais ou menos explícita da sexualidade infantil até "maduras" esfregações em banheiras dominicais ou mesmo a venda de pornografia via telefone em horário nobre.

Vivemos num país que fala do babado, mas não nos iludamos: falar, e eventualmente fazer, não é sinônimo de criar uma cultura democrática e libertária, que torne efetivamente possível a plena expressão de cada pessoalidade nesse grande parque de diversões que é o prazer erótico.

Estamos longe de viver e proporcionar que outros vivam suas escolhas. Os homossexuais, por exemplo, ainda são humilhados em seus lugares de trabalho, no lazer, e o que eu andei vendo em delegacias e prisões me convenceu de que cumprem penas suplementares às de outros cidadãos.

Brasileiros e brasileiras: somos um mix explosivo de conservadorismo, hipocrisia e festividade. Vira e mexe executamos nossos homossexuais, na porrada e em pleno centro de nossas cidades, e tais fatos vão pouco além da indignação pseudocatólica de algum cronista de segunda página ou desembargador de terceiro escalão, caindo no esquecimento geral poucas horas depois.

Há, claro, aqueles imbecis que, de forma protofascista, advogam a lamentável "tolerância". Se odeia o que se tolera. Portanto, cuidado aqui também.

Entendo que a chamada "questão da sexualidade" nem é questão, mas direito: a posse e usufruto do próprio corpo. Simplesmente isso. Qualquer conhecimento produzido hoje em dia, que não leve essa idéia básica em consideração, deveria ser banido como "lesa-humanidade".

É muito divertido e interessante para mim que a Vange tenha me chamado para apresentar seu livro. Primeiro porque, além de sexualmente livre, é originariamente mulher. A meu ver, a grande conquista política e cultural do já passado séc. XX foi justamente o feminismo. Tudo o mais se perdeu ou se diluiu em debates ideológicos, mas a discussão que importou, isto é, a assunção do corpo no processo civilizatório, passou e passa pelas lutas que se originaram no feminismo. Mesmo nós, homens heterossexuais, descobrimos nosso corpo, no mais das vezes igualmente oprimido (na escola, no exército, no trabalho) a partir deste debate. Assim como toda a produção gerada pela chamada "cultura gay". Aliás, espero pelo dia em que não precisaremos mais colocar esses qualificativos de categoria nas nossas conversas. Afinal, se sou dono do meu corpo, deveria poder transitar com ele em diversas modalidades a meu bel prazer, certo?

Mas, no que diz respeito a esse livro, estou chovendo no molhado. Vange, como poucas e poucos, faz da sexualidade (de todos nós) expressão cultural, sabendo que seu conhecimento passa por investigação e experiência, mas também é arte: é música, é teatro, é dança... é uma delícia!

O resto... bom, o resto fica pra masturbação dos caretas.

Fernando Bonassi
escritor, dramaturgo e roteirista. No jornal
Folha de S.Paulo *assina a coluna* "Macho"

INTRODUÇÃO

No final de 1996, Nelson Feitosa, editor da única revista gay de circulação nacional na época, a *Sui Generis*, me fez um convite para escrever uma coluna mensal direcionada às leitoras lésbicas. Eu, uma das poucas artistas brasileiras saídas do armário, já havia sido motivo de uma matéria na *Sui* onde expus alguns pontos de vista sobre a questão gay. O Nelson gostou da minha verve e me contratou. Poderia parecer estranho uma cantora de pop-rock de repente começar a escrever para uma revista gay, mas o fato é que, desde a adolescência e muito antes de seguir carreira profissional de cantora, eu sempre estive muito perto do movimento gay (entrei para o grupo LF – Lésbico-Feminista – quando tinha dezessete anos). Na verdade, quando comecei a escrever para a revista não eram muitas as pessoas públicas que topavam vincular suas imagens à questão gay. Mas resolvi encarar a tarefa pois sentia também que seria uma ótima oportunidade para voltar a fazer algo que me apaixonava tanto quanto a música: escrever.

Desde então, quando comecei a assinar a coluna "Grrrls", muita coisa mudou no país em relação a gays e lésbicas. No início, não havia a Parada do Orgulho Gay aqui no Brasil, as Edições GLS não existiam, a internet mal havia começado a dar seus primeiros passos e a subcultura gay também. Já havia o Festival Mix Brasil de Sexualidades e alguns grupos de atuação política, mas seus feitos e efeitos não rendiam mais que notas de pé de página nos noticiários. Passados quatro anos, a Parada do Orgulho GLBT cresceu (em São Paulo, no ano 2000 foram mais de 120 mil participantes), a internet abriga centenas de sites e portais gays e lésbicos, as Edições GLS contam com um público fiel e uma série de títulos disponíveis e os jornais de grande circulação reservam seções fixas e exclusivas para o mundo GLS. Parece que, ao alvorecer do séc. XXI, já poderemos falar numa espécie de subcultura gay brasileira.

Durante esses quatro anos escrevendo para a *Sui Generis*, encontrei uma maneira própria de escrever e de enxergar o mundo gay. Desde o princípio, quando batizei a coluna de "Grrrls", quis dar a ela uma coloração anti-sexista. O objetivo sempre foi valorizar as garotas que são fortes, agressivas e que têm atitude, ao contrário do que se espera de uma mulher na sociedade: ternura, concordância e suavidade. A tarefa me parecia bastante adequada e oportuna pois aqui no Brasil o discurso feminista, ou pós-feminista, era, e continua sendo, menosprezado nos meios de comunicação, sofrendo de descontinuidade crônica. O mais surpreendente é que o país que glorifica a bunda e os peitos de suas cidadãs é o mesmo que contou com mulheres fortes e batalhadoras para determinarem os rumos de sua história, como a imperatriz Leopoldina, Maria Quitéria e Clara Camarão. É bom notar, nenhuma delas ficou famosa por seus seios ou seu traseiro!

O nome da coluna, e também deste livro, tomei emprestado das Riot Grrrls, movimento pós-punk e pós-feminista criado por roqueiras americanas e inglesas que não aceitavam mais o papel cor-de-rosa e coadjuvante das garotas no mundo da música. A proximidade que eu tinha com o movimento punk quando comecei a cantar foi determinante – a máxima punk "toque-um-instrumento-mesmo-sem-saber-tocar" foi fundamental para adotar uma atitude mais irreverente ao escrever. Das Riot Grrrls tirei também a inspiração para um discurso pós-feminista, que não é nem cor-de-rosa e nem rosa-choque: é vermelho incandescente mesmo! Desta maneira, durante quatro anos, escrevi a coluna "Grrrls" apostando na diversidade das manifestações humanas, afirmando, por exemplo, que mulheres podem ser violentas e homens, dóceis; investi contra todo e qualquer argumento sexista e pedi, candidamente, por liberdade de expressão e tolerância aos diferentes.

Grrrls – Garotas iradas – reúne textos inéditos e outros publicados anteriormente na revista *Sui Generis*, sempre conservando esta ótica pós-punk e pós-feminista. Os assuntos são bastante variados e as colunas, escritas de maneira leve e ágil, podem ser lidas em qualquer ordem.

Gostaria de agradecer ao Nelson Feitosa, naturalmente, e a Laura Bacellar, das Edições GLS, por ter topado publicar o livro. e aos leitores que, durante todo este tempo, escreveram cartas e e-mails comentando a coluna.

Nada disso seria possível sem a colaboração de minha parceira, a jornalista Cilmara Bedaque que, além de comentar, discutir e propor temas para as colunas, me ajudou a compilar os textos para esta edição. Nossa parceria escrevendo e editando o e-zine CIO (www.uol.com.br/mixbrasil/cio) também contribuiu para este trabalho. Ela é, além de tudo, fonte inesgotável de inspiração e uma interlocutora bem-humorada, ágil, séria e brilhante.

E por último, mas não menos importante, gostaria de agradecer a minha mãe, Leninha, pela enorme importância que sempre deu à amizade e à tolerância e ao Kiko, meu terapeuta, que me forneceu instrumentos para lidar com minhas particularidades e diferenças, transformando-as em vantagens a meu favor.

Rainhas da tesoura

23 de junho de 1993 – A manicure Lori Coelho guarda o alicate de unhas num pequeno estojo, vai até a cozinha e pega uma faca. Cansada de apanhar, espera o marido adormecer e corta-lhe dois terços do pênis.

9 de julho de 1994 – A empregada doméstica Lourdes Aparecida é procurada pela polícia por ter esmagado o pênis do companheiro depois de uma briga violenta, provavelmente iniciada por conta de um ciúme patológico.

16 de julho de 1994 – Maria do Carmo e seu marido enxugam uma garrafa da Caninha 51 e, depois de treparem, ele tem uma boa idéia: pede que ela lhe depile o púbis. Com a lâmina na mão, Maria do Carmo erra a pontaria e acaba tirando um naco do saco do marido. Querendo talvez esconder o trabalho mal feito, joga os testículos para as galinhas.

6 de novembro de 1996 – A menor J.G.G.S. esconde uma faca debaixo do colchão, num quarto de motel. Depois da transa, ele se nega a reatar o namoro. Doente de ciúmes, ela decide então cortar de vez, não a relação, mais o pinto do rapaz.

13 de novembro de 1996 – O marido da aposentada Dolores Leme chega em casa bêbado e insiste em manter relações sexuais com ela que não quer. Ele, então, bate na mulher. Ela espera o companheiro cair nos braços de Morfeu e corta seu pau e um dos testículos. Desacorçoada, joga aquilo tudo fora, na fossa.

14 de novembro de 1996 – A empregada doméstica Madalena Silva ferve água para o mingau do neném. Vendo o marido che-

gar bêbado, pede o leite que ele saiu para comprar na manhã anterior. Apanha. Aproveita que o cara vai ao banheiro fazer xixi e queima o bilau dele com a água do mingau.[1]

Muitos de vocês devem se lembrar de ter lido algumas dessas notícias. Ataques como esses viraram epidemia no final do ano de 1996, alguns, estimulados por ciúmes doentios, outros provocados por surras e humilhações acumuladas durante anos e, outros ainda, quem sabe, por influência da mídia. Será que virou moda?

Absolutamente. É mais razoável apostar numa combinação de vários fatores. Mas mesmo tentando procurar o que detonou esse comportamento nessas mulheres, o que encontraremos ao final serão apenas causas circunstanciais. Por trás dessa atitude radicalmente misógina ao avesso, revela-se um estado de completa separação entre macho e fêmea.

Claro que um marido bêbado é insuportável, mas nada justifica um ato tão violento. O que acontece nesses casos é uma simbiose nociva, em que ambas as partes topam viver um pequeno inferno particular, aparentemente sem saída. E o que parece ser uma união entre homem e mulher na verdade é exatamente o contrário, porque essa união deve acontecer sobretudo dentro de cada um.

Ao eliminar o seu lado masculino, adotando um papel tido pela sociedade como tradicionalmente feminino, a mulher já está praticando um ato de mutilação. A *mater dolorosa* que espera em casa, a esposa cordata que apanha calada e a namorada bonitinha, certinha e virgenzinha, na verdade, passam a vida se castrando.

É aí que tem início a grande violência: a mulher que agora corta o próprio pau não tardará em cortar o do companheiro mais tarde. Essa é uma equação bastante simplista, mas alegoricamente cabível e apropriada.

Pobre da mulher que não tem pinto e do homem sem boceta. Perdoai-os Pai, eles não sabem – ainda – o que podem vir a ser!

[1] Para preservar a privacidade das pessoas envolvidas, optei por usar nomes fictícios, embora os fatos e as datas sejam reais e tenham sido publicados em vários jornais. Os dados foram obtidos no arquivo da *Folha de S.Paulo*, no portal UOL.

Grrrls

Riot Grrrls foi o nome dado a um movimento surgido no início dos anos de 1990 nos Estados Unidos. Formado principalmente por bandas de garotas como L7, Babes in Toyland, Bikini Kill e Tribe 8, elas reverenciam antecessoras roqueiras de visual e verbo agressivo, como o da poeta punk Patti Smith, e de humor cínico, como Deborah Harry.

A expressão surgiu quando algumas garotas da banda Bikini Kill resolveram criar um fanzine feminista chamado *Riot Grrrls*, no qual se rebelavam contra alguns dogmas intocáveis do mundo do rock – dogmas como aquele que diz que garotas não sabem tocar guitarras, bateria ou baixo tão bem quanto os homens. O tipo de coisa que sempre fez com que as meninas fossem desestimuladas a tomar a frente de um palco empunhando uma guitarra.

A cantora Karen Carpenter, por exemplo, começou a desenvolver os primeiros sintomas de anorexia nervosa depois que foi convencida pelo irmão e pelo empresário a deixar de tocar bateria nos shows dos Carpenters. Eles argumentavam que sua imagem frágil seria mais aceita pelo público se ela apenas cantasse e não se escondesse atrás de uma bateria, um instrumento masculino por tradição. Vencida pelo sexismo, não tardou a ser derrotada e morta pela anorexia nervosa.

As Riot Grrrls (numa tradução ao pé da letra, garotas amotinadas, rebeladas) fazem um rock agressivo, emprestando do punk vários itens, como os coturnos, o corte de cabelo moicano e a máxima "não importa se você toca bem ou não, o importante é ter algo a dizer".

Vociferando muitos palavrões e *fuck offs*, as Riot Grrrls fazem questão de não se mostrar bonitinhas, meigas ou bem comportadas. Adeptas de um novo tipo de feminismo mais agressivo, essas garotas batem de frente com as antigas feministas que pregam a não-violência. As *grrrls* fazem músicas barulhentas falando de sexo, sadomasoquismo e pornografia. "Esse negócio de não-violência é coisa para feminista bem nascida", disse uma vez uma *grrrl*. "Quem vive nas ruas precisa ter a Deusa por perto, mas principalmente um canivete no bolso."[2]

Se a realidade das ruas é dura o bastante para essas meninas, o velho rock, por sua vez, apresenta um ranço misógino e sexista difícil de ser demovido. É esse outro dogma instituído e que precisava ser derrubado: no pequeno mundinho machinho do rock, as garotas sempre fizeram o papel de musas delicadas ou tietes histéricas.

É só dar uma olhadinha na MTV e contar quantos clipes mostram garotas gostosas, seminuas, prontas para se jogar aos pés do cantor, que por mais feio que seja é sempre apresentado como uma espécie de deus do sexo.[3]

Há quem diga que Janis Joplin foi assassinada por esse tipo de machismo roqueiro. Afinal, enquanto Jimi Hendrix declarava lembrar-se das cidades onde tocara apenas pelas garotas que comera, Janis lamentava fazer amor com milhares de pessoas, cantando no palco, e depois do show voltar para o hotel sozinha.

Naquela época, por maior que fosse a liberdade sexual e de comportamento, uma garota causava estranheza ao assumir uma atitude mais radical e agressiva. Mesmo hoje, esse tipo de comportamento por parte das mulheres é condenado e visto como uma apropriação do que há de pior no comportamento masculino – como se a agressividade, a luta e a glorificação do falo fossem algo necessariamente ruim.

---

[2] Do artigo "Riot Grrrls invade the 'Lesbian Woodstock' ", publicado no *site* Addicted To Noise, 1997.

[3] Os clipes da MTV já mostram garotas com mais atitude, refletindo a tendência geral em relação à imagem feminina numa era pós *Grrrl power*. A exigência de que sejam bonitas e a condescendência em relação à feiúra dos homens, no entanto, continuam, mas parece que não por muito tempo. Cada vez mais exige-se beleza também dos cantores.

O interessante nesse tipo de atitude radical das *grrrls* que vestem coturno com lingerie, raspam as cabeças, empunham guitarras, falam palavrões e andam com um dildo entre as pernas é que isso chacoalha não só o mundinho do rock'n'roll, mas faz uma garota pensar se, pelo fato de ser mulher, deve se comportar como um anjo de candura, um buraco cor-de-rosa e vazio pronto para ser preenchido.

Com que roupa?

"Você é *lady* ou sapatão?". Era assim que começava uma abordagem clássica nos bares lésbicos mais populares de São Paulo, no final dos anos de 1970. Grande parte das garotas homossexuais procurava se encaixar num desses dois estereótipos: escolhendo vestir-se e portar-se como uma *lady*, cabelos compridos, roupas femininas e maquiagem, ou então preferindo o outro lado, usando roupas masculinas, camisa social, calça de tergal e cabelos curtos.

Confesso que a primeira vez que me perguntaram se eu era *lady* ou sapatão eu não soube responder. Foi na mesma noite em que conheci uma garota, muito bonita e de cabelos compridos, e que dividiu comigo sua grande angústia: ela adorava seus longos cabelos, mas as amigas fanchonas insistiam para que ela passasse uma tesoura – se ela era sapatona deveria usá-los curtos, diziam.

Vestir-se como homem e adotar maneirismos masculinos já é coisa bastante antiga. Joana D'Arc teve de cortar os cabelos e vestir-se como soldado para poder comandar suas tropas na batalha de Orleans contra os ingleses. Há mesmo rumores de que, por volta do ano 855 d.C., foi coroado um papa que na verdade era uma mulher – a papisa Joana – que também se vestia como homem para driblar os impedimentos da Igreja quanto às mulheres que almejavam o sacerdócio.[4]

Mais recentemente, na metade do século passado, a escritora Aurore Dupin encontrou a liberdade ao deixar o marido para viver

[4] LEON, Vicki. *Uppity women of medieval times.*

sozinha em Paris. Vestia-se com roupas masculinas, fumava charutos, acreditava na igualdade entre os sexos e resolveu adotar para si o nome de George Sand, com o qual assinava seus romances.

Se vestir-se como homem já não é mais algo transgressor, a mulher que, além disso, cultiva gestos e maneirismos masculinos ainda é bastante estigmatizada. As revistas de moda, de tempos em tempos, trazem mulheres vestidas de terno e gravata, mas são mulheres lindíssimas e hiperfemininas. O estilo sapatão ainda provoca tremores e controvérsias.

Na América dos anos de 1950, as primeiras militantes lésbicas acusavam as sapatonas de pôr mais lenha na fogueira do preconceito, pois faziam com que a sociedade tivesse uma idéia muito estereotipada e distorcida do que era a homossexualidade feminina. Não parece muito diferente do que acontece hoje em dia. Lamentavelmente, existe uma certa resistência, mesmo no meio homossexual, às lésbicas mais masculinizadas, como se existisse uma cartilha a ser seguida. Será que aquele tão valorizado "*express yourself*" já não vale mais nada?

Foi grande a controvérsia causada quando, no começo da década de 1990, as *drag kings* vieram à tona e se tornaram mais visíveis, principalmente nos Estados Unidos e na Inglaterra. A fotógrafa lésbica californiana Della Grace, expoente máximo dessa turma, chegou a editar um livro de ensaios fotográficos, *Love bites*, no qual mostrava muitas *drag kings*, casais de garotas masculinizadas praticando atos de penetração com dildos e cenas de sadomasoquismo. O livro foi boicotado mesmo nas livrarias dedicadas à comunidade homossexual e Della Grace pôs a boca no mundo, reclamando que o movimento gay queria continuar deixando essas garotas na invisibilidade. Della Grace agora chama-se Del Grace e assumiu uma identidade andrógina, nem macho, nem fêmea.

A liberdade de ser o que se é não pode ser conquistada pela metade. Se lésbicas e gays lutam por maior visibilidade, não devem patrulhar a livre expressão de seus pares. Se Del e sua turma gostam de aplicar esparadrapinhos com hormônios masculinos no queixo para deixar a barba crescer, o que os outros têm com isso?

O travestismo é algo tradicional e fundamental em várias culturas, com forte importância ritual. Na Grécia antiga, era comum raspar a cabeça e aplicar barba postiça nas mulheres recém-casadas até que elas ficassem grávidas. Pajés de tribos norte-americanas vestiam-se de mulher, garotas de tribos africanas faziam sua iniciação na puberdade usando roupas de homens e em algumas ilhas da Indonésia era comum travestir crianças doentes para que fossem curadas.[5]

Ora, se tantos atos de cura e rituais de passagem estão relacionados ao travestismo, por que querer que as pessoas sigam um padrão de vestimenta e comportamento tão careta, tão quadrado e tão uniforme?

A fantasia é direito inexpugnável de cada um. Mesmo não sendo *lady*, nem sapatão, nem *drag king*, nem *lesbian chic*, é direito de uma mulher ser o tipo que ela quiser, vestir a roupa que preferir e até mesmo ser tudo isso junto ou de um jeito diferente a cada dia da semana.

Ruim é ter que se comportar segundo uma cartilha politicamente correta, mesmo sendo ela ditada por um ativismo gay pretensamente consensual, mas na verdade careta e estreito. A liberdade e a visibilidade são para as borboletas, para os lacinhos cor-de-rosa e também para os sapatões.

[5] MILLER, Neil. *Out of the past: gays and lesbian history from 1869 to the present.*

Armário com porta de vidro

As caras leitoras da revista *Sui Generis* andaram solicitando entrevistas e reportagens com algumas mulheres famosas e "supostamente" homossexuais, algumas delas atrizes, outras cantoras e esportistas, mas todas ídolos ou ícones da comunidade gay brasileira. A maior dificuldade em trazer essas mulheres para as páginas da revista é a velha e boa questão do *outing*. São raras as figuras públicas que se declaram abertamente homossexuais e que, além disso, aceitam falar a um veículo direcionado especificamente a gays e lésbicas. Por quê?

A resposta não é nada simples. Assumir publicamente a sua própria homossexualidade é uma questão íntima e, sinceramente, acho que faz *outing* quem quer e quem se sente preparado para isso. Muitas dessas mulheres têm vontade de se abrir mas são quase impedidas de se declararem lésbicas sob pena de perderem patrocínios fundamentais para o seu trabalho, como é o caso de atletas de alto nível. Mesmo trabalhando na área de arte e entretenimento, em que um comportamento, digamos, mais "excêntrico" é permitido e tolerado, as conseqüências de um *outing* são bastante temidas.

O motivo mais provável e comum para uma pessoa famosa não assumir a sua homossexualidade é o cuidado com a imagem pública numa sociedade que é extremamente preconceituosa, embora alguns teimem em dizer o contrário. Se não chega a ser por medo ou covardia, com certeza não é pouca coisa empreender um *outing* via Embratel.

A cantora canadense kd lang, por exemplo, fez seu *outing* um pouco depois de lançar seu disco de maior sucesso, *Ingénue*, em

1992, em entrevista à revista gay *The advocate*. kd resolveu sair do armário após ter feito uma campanha nacional contra o consumo de carne bovina e alguns fazendeiros de sua cidade natal – localizada numa região pecuarista – armarem um boicote aos seus discos. Os fazendeiros, não satisfeitos, ainda picharam a placa da entrada da cidade, na qual se lia "*Home of kd lang*" com as palavras "*Eat beef, dike*!" (preservando o duplo sentido, seria algo como "Coma picanha, sapatona!").

Para deixar de ser objeto de agressões como essa e "assunto" de tablóides sensacionalistas e ainda por não ver nada demais em se declarar lésbica, kd resolveu fazer seu tão esperado *outing*. Além dos motivos pessoais, ela alegou que "num mundo que está se tornando cada vez mais homofóbico, eu acho importante as pessoas que se sintam fortes o bastante e preparadas assumam publicamente a sua homossexualidade". Disse ainda que "é importante mostrar confiança e não ter vergonha disso (ser lésbica), em consideração a mim mesma e à comunidade gay".

Na seqüência, outra figura pública se declarou lésbica, a cantora Melissa Etheridge. Vítima de especulações da imprensa marrom, Melissa deu um basta, fazendo do ataque a melhor defesa: saiu do armário. E ainda reclamou: "Meu único arrependimento foi não ter feito isso antes". Se deu bem: afinal, sua carreira ia mal das pernas e, quando lançou em 1994 o álbum *Yes I am* (Sim eu sou), ganhou dois prêmios Grammy. Isso, fora a vendagem excelente, graças em parte ao marketing feito em cima de seu *outing*. Nada contra – ela faturou com a verdade.

Se tanto a carreira de kd lang como a de Melissa não sofreram reveses devido ao *outing*, elas também não acham tudo muito lindo assim. Melissa lamenta ser uma das poucas artistas lésbicas declaradas, pois sente que a comunidade gay acaba esperando dela atitudes políticas quando, na verdade, sua maneira de atuar na sociedade é através de sua arte e seu trabalho.

Já kd lang reclama de algumas fãs lésbicas um pouco abusadinhas que acabam acreditando numa ligação especial com a cantora apenas por terem a mesma orientação sexual. Seria algo como acreditar que fazem parte de uma mesma "irmandade". Algumas delas chegam a exigir atitudes engajadas e se ofendem quando, por exemplo, kd lang se recusa a ir para boates depois dos shows. kd docemente esclarece que a recusa é apenas por odiar boates, gays ou não.

O caso é que existem poucas mulheres famosas que assumem sua homossexualidade para a mídia, e o trabalho pesado de lidar com as expectativas de um público gay, carente de ídolos homossexuais, acaba recaindo sobre esse punhado de loucas, corajosas ou "exibidas".

A preservação da vida pessoal é um direito inalienável de cada um. A fama, porém, torna impossível a tarefa de manter a privacidade longe dos olhos do público e da mídia. Como resultado dessa curiosidade, aparecem boatos e especulações e a sexualidade dessas pessoas acaba sendo revelada para um seleto público "entendido" no assunto (a mpb brasileira está repleta desses exemplos). É uma espécie de *outing* silencioso, um acordo de cavalheiros e damas, uma porta de vidro colocada num armário. Quem tiver coragem que atire a primeira pedra.

Princesas desencantadas

Era uma vez uma mulher que não quis se casar com o príncipe encantado. Uma, não. Ao longo de milhares de anos, foram muitas as mulheres que não toparam viver apenas como a sombra de um homem. Em número incomparavelmente menor que seus (ím)pares homens, as mulheres que ousaram viver sem um parceiro do sexo oposto nem sempre tiveram finais felizes como as princesas de contos de fadas.

Tudo começou um pouco antes de Eva. Do barro, Deus criou Adão e também Lilith, irmã e primeira esposa de Adão. Mas parece que Lilith não tinha um temperamento muito fácil: por ter sido criada da mesma maneira que Adão, achou que era um ser igual a ele e acabou não aceitando o papel de mera coadjuvante. Pois bem: Lilith foi banida do Éden e das páginas do Antigo Testamento para amargar uma vida no reino das trevas, com uma péssima fama de agente demoníaco e devoradora de criancinhas. Enquanto isso, Deus tirava uma costela de Adão para criar uma Eva um pouco mais dócil, mas não menos traiçoeira.

Algum tempo depois, na antiga Grécia, uma poeta talentosíssima estabeleceu uma escola só para mulheres na ilha de Lesbos. O lirismo e as canções de amor de Safo eram dirigidos às suas amantes e alunas. Como viviam, permanece um mistério, já que o principal testemunho – os escritos de Safo – foi queimado pela Igreja em duas ocasiões diferentes. Não se sabe bem por que, mas muito antes de ter sua obra destruída Safo preferiu acabar com a própria vida: atirou-se de um penhasco ainda jovem.

Na mesma época, e ainda pairam nuvens de dúvida sobre se elas realmente existiram, outro grupo de mulheres resolveu viver sua vida longe dos homens: as Amazonas gregas. Eram mulheres guerreiras, com fama de assassinas de homens, dos quais apenas faziam uso para fins de procriação. Quando Hércules teve como missão roubar o cinturão da rainha Hipólita (a chefe das Amazonas), a coisa começou a engrossar para as meninas. O artefato tinha sido presente de Ares, o deus da guerra, e as Amazonas, que não estavam a fim de abrir mão do cinturão, iniciaram batalha contra o séquito de Hércules. Em final previsível, a rainha Hipólita morre assassinada pelo herói, que recupera o cinturão e a sensação de virilidade, perdida ao encontrar mulheres tão machas.

Joana D'Arc, já na Idade Média, é outro exemplo de como uma mulher sozinha, que invade searas masculinas, acaba sempre punida. Depois de ouvir vozes do além, engajou-se no exército e foi lutar pela união da França, e contra a Inglaterra. Cortou os cabelos, vestiu armadura e comandou seu próprio batalhão. Capturada pelos ingleses, Joana foi julgada por uma corte eclesiástica que a condenou à fogueira. A despeito de ser uma prisioneira de guerra, foi condenada por heresia, por vestir roupas masculinas e ter um comportamento não muito próprio para uma mulher, o que significava, nessa época, ser tachada de bruxa conspiradora. Só depois de morta virou santa, quase quinhentos anos depois.

Embora os costumes e a moralidade fossem mudando com o tempo, a aversão às mulheres que insistem em não querer homens como pares nunca deixou de existir. No séc. XVII, a rainha Cristina da Suécia foi obrigada a abdicar do trono, que ocupava desde os seis anos de idade, por não querer se casar. Criada para reinar, Cristina teve uma formação que na época só se dava aos rapazes. Era intelingente, interlocutora do filósofo René Descartes e, diziam as más línguas, apaixonada pela diva e cantora de ópera Angelica Georgini, apesar de já ter um caso com a camareira Ebba. Pobre Cristina, não foi para o trono.

Mas vivemos outros tempos. Depois da Revolução Industrial as mulheres, valorizadas por sua mão-de-obra, acabaram mais engajadas na sociedade. E, finalmente, depois da Primeira Guerra, com a falta de homens no mercado, a mulher definitivamente pôs os dois pés em praça pública. Podemos trabalhar, vestir calças compridas, temos direito a voto e, de uns quatro séculos para cá, é consenso que possuímos alma. O nosso imaginário, porém, continua povoado por histórias nas quais a mulher que ousa seguir sem um homem ao lado é punida com a morte na fogueira, o exílio ou a prisão. Parece que já podemos quase tudo, menos prescindir do homem como amante.

Por isso é necessário, não por princípio, mas por compensação, que povoemos esse imaginário com novas histórias e novas heroínas. Não compactuo com a histeria politicamente correta que acha necessário retratar gays e lésbicas sempre de maneira cor-de-rosa, mas por uma questão de equilíbrio estão faltando finais felizes ou apenas histórias comuns.

Gays e lésbicas querem novos heróis. É preciso povoar nosso imaginário com personagens que possam se dar bem apesar de serem *gauche* na vida, pois a história nos deixou a herança triste dos derrotados.

É preciso saber que você pode dispensar o príncipe e ter a certeza de encontrar uma linda princesa encantada, não no fim, mas logo no começo da história. Afinal, ninguém aqui é bobo para passar a vida buscando e só achar o pote de mel no último capítulo.

À caça do celulóide secreto

Durante muito tempo nós procuramos pêlo em ovo. Eu e minha primeira namorada vivíamos à caça de um filme que mostrasse qualquer coisa sugerindo lesbianismo. Naquela época, meados da década de 1970, foram feitos alguns filmes com cenas sáficas, mas nenhum permitido para garotas com menos de catorze anos.

Eu já tinha quinze, mas minha namorada não. Assistimos ao filme *Júlia* umas três vezes, sempre de mãos dadas e torcendo para que Jane Fonda e Vanessa Redgrave dessem um beijo na boca. Tudo bem, não aconteceu o beijo, mas pelo menos sabíamos que elas se amavam bem mais do que duas grandes amigas.

Hoje as locadoras de vídeo já oferecem uma variedade considerável de filmes mostrando a homossexualidade feminina sob vários pontos de vista: comédias, dramas, suspense, policial e até aventura. Mas se você assistiu a *Celulóide secreto* ficou sabendo que nem sempre a homossexualidade pôde ser retratada numa boa nas telas de cinema.

Aqui no Brasil pouca coisa chegava. Uma vez por ano, durante a Mostra Internacional de Cinema, alguns filmes gays e lésbicos podiam ser vistos por um público fiel e entendido no assunto. Era sempre uma boa oportunidade para rever amigos de longa data e assistir a algum filme alternativo, geralmente europeu, e quase sempre com uma história triste para contar.

No circuito comercial pouca coisa emplacava. Eu me lembro de um filme em particular, chamado *Personal best* (As parceiras), com a irmã mais nova de Margaux Hemingway fazendo uma atleta que se envolvia com uma colega de quarto. Careta até a última fala, o filme terminava com Mariel Hemingway largando a namorada para ficar com o treinador. Essa era quase uma regra em filmes que retratavam lesbianismo: no final, aparecia um homem que freudianamente tirava a mocinha de sua fase clitoriana adolescente para fazê-la mulher, possuidora de maturidade vaginal.

Era um anticlímax total, muito diferente dos filmes que temos visto nesta década de 1990. O crescimento do mercado consumidor gay e a maior visibilidade das pessoas que agora ousam dizer o nome do amor que praticam, favoreceram o surgimento de filmes mais interessantes abordando a homossexualidade. E os filmes lésbicos, sempre em menor número, começaram a pipocar aqui e ali, figurando inclusive como sucesso de bilheteria entre o público hetero, como é o caso do belo e enrustido *Tomates verdes fritos*.

Há para todos os gostos. Você pode inclusive levar sua sobrinha para assistir a uma coisa mais sessão da tarde e pueril como *A incrível aventura de duas garotas in love*. Educativo, o filme mostra o caso de amor inter-racial entre duas adolescentes americanas, sendo que uma delas não tem o menor problema com a sua homossexualidade e inclusive mora com a tia lésbica e a namorada. Não há mais aquele turbilhão de problemas ao descobrir-se lésbica. Tudo é leve e bem-humorado.

Mostrar uma mulher sem problemas com a sua homossexualidade foi um alívio para nós, público, pois injetou um pouco de verossimilhança nas telas. Afinal, todas nós sabemos, a vida de uma lésbica não é só sofrimento. Mostrar mulheres dos mais variados tipos também tem enriquecido nossa filmografia sáfica.

Por exemplo, há o *thriller* lésbico *Ligadas pelo desejo*, em que a atriz Gina Gershon faz uma autêntica sapatona. Lindíssima, ela interpreta uma encanadora que se apaixona pela vizinha, uma *lady*, casada com um cafajeste mafioso. Gina, de coturnos, calças largas rasgadas e camiseta regata mostrando seus músculos tatuados, superdelineados, vai, durante o filme, salvar a mocinha das garras do marido bandido. Sem querer entrar no mérito do filme (é meio fraquinho), as cenas de sexo entre as duas são bastante convincentes, principalmente quando vemos o braço forte e teso de Gina "trabalhando" a companheira. *Working class* perde. Bem diferente daquelas ceninhas tímidas quase culpadas entre as garotas de *Personal best*.

As meninas estão trabalhando por trás das telas também: cineastas lésbicas começam a fazer filmes e a nos retratar de uma maneira muito mais verossímil, certamente por conhecerem a fundo o assunto. Filmes como *Go fish* e *Quando a noite cai* mostram mulheres homossexuais contentes com a vida, livres, com atitude e que se dão bem no final. Não que deva existir qualquer nível de correção política, do tipo mostrar os gays sempre de maneira favorável, mas por uma questão de equilíbrio estavam faltando filmes que fugissem da eterna dicotomia "homossexualidade & tragédia".

Isso sem contar o alívio que é não ter que ver nas telas duas peruas de unhas longuíssimas transando (como são as lésbicas nos vídeos pornográficos para homem ver). Se me lembro bem, em *Go fish* a protagonista faz do ato de cortar unhas, antes de transar, um ritual. E, como meu avô italiano dizia, "*pollo e donni, con le mani*", que traduzindo – me perdoem a grosseria, mas é minha herança carcamana – quer dizer "frango e mulheres comem-se com as mãos".

A verdade está lá fora

Quando alguém não quer ver alguma coisa, fecha os olhos. Quando não se quer que o mundo veja alguma coisa, esconde-se o que não deve ser visto. Mas, mesmo escondida, essa coisa continua existindo. É como varrer poeira para debaixo do tapete: embora ninguém na sala perceba, a poeira ainda está lá.

Esse mecanismo de ocultação é bastante usado por nós. Psicologicamente falando, não sobreviveríamos sem deixar algumas coisas no limbo, na sombra, esperando pelo momento certo de serem alçadas à luz do dia. Coletivamente, a sociedade também pratica esse jogo de esconde-esconde, tirando das ruas e das vistas da população aqueles que não se comportam segundo a cartilha vigente.

Da mesma maneira que judeus foram confinados em guetos, homossexuais também se reúnem em bares específicos, traçando assim uma área onde podem existir, ainda que escondidos. No entanto, quem gosta de ser obrigado a viver na sombra? Por isso, a tônica do movimento homossexual nesta década é a visibilidade: não basta a permissão para viver em guetos, queremos estar visíveis em todos os lugares.

Mas esse preâmbulo todo não é para falar especificamente sobre homossexualidade e sim sobre um pequeno detalhe da anatomia feminina que esteve durante muito tempo condenado à vida na obscuridade: o clitóris.

Em seu livro *O anatomista,* o autor, Frederico Andahazi, conta a história de Mateo Colombo, um médico da Renascença que talvez tenha sido o primeiro a descrever a anatomia e a importância do clitóris para o prazer da mulher. Localizado abaixo do osso pubiano, o clitóris é um órgão sensível e eréctil, descrito pelos primeiros anatomistas como um pequeno pênis que, durante o excitamento sexual, se enche de sangue, ficando rijo e ereto.

Apesar de ter ido para a cama com várias cortesãs, Colombo nunca havia reparado nesse diminuto órgão – e eu me pergunto: Como? – até despir uma paciente que, apesar de moribunda, apresentava um clitóris assaz avantajado e em estado de semi-ereção. Primeiro ele pensou ser um caso de hermafroditismo, o que acabou desconsiderando depois de saber que a paciente era mãe de quatro filhos. A partir daí, ele formulou sua tese do "Amor veneris", nome que deu ao clitóris, o órgão que provoca "estranhos delírios" nas mulheres. Seu livro, entretanto, foi condenado pela Igreja e Colombo, relegado ao silêncio junto à sua revolucionária descoberta.

Se isso pode parecer uma história de um passado remotíssimo, é bom lembrarmos que, mesmo hoje em dia, muitas mulheres ainda não descobriram essa América, esse botão mágico que acende o fogo do prazer. Mais especificamente, depois que Freud estabeleceu que o orgasmo vaginal era mais maduro que o clitoriano, nosso bilauzinho foi condenado de vez ao ostracismo e à debilidade. Por algum motivo, a descoberta do clitóris ainda é desestimulada, o que me leva a perguntar por que a Igreja e a sociedade patriarcal têm tanto medo desse prazer feminino que é exposto, que não é ocultado e engolido.

Talvez esse medo esteja ligado ao fato de que o orgasmo obtido pela estimulação do clitóris é um gozo direcionado para fora, ativo, tipicamente masculino. Durante muito tempo, foi regra o comportamento feminino ser do tipo recatado, assim como seus órgão sexuais, todos internos e escondidos (leia-se vagina, útero e ovários). Nada mais conveniente para o domínio do macho do que negar às mulheres essa energia para fora, o prazer visível. E nada mais visível do que outro mito, esse ainda mais polêmico: a ejaculação feminina.

Descrita por Aristóteles, a ejaculação feminina sempre foi mais ou menos consenso entre os estudiosos, mas sempre tendo a função de carregar sêmen – como a ejaculação masculina – e nunca relacionada ao prazer ou ao orgasmo. Quando foi descoberto que o líquido que algumas mulheres liberavam não tinha nada de sêmen e que eram os óvulos que continham o potencial gerador, a ejaculação feminina deixou de ser notada. Passou para a categoria mito, sendo inclusive contestada por muitos entendidos no assunto.

A partir da década de 1960, no rastro de vários estudos sobre a sexualidade, do tipo *Kinsey Report* e *O Relatório Hite*, a ejaculação feminina voltou à tona. Se não são todas as mulheres que ejaculam, sem dúvida muitas seguram e inibem a sua vontade de ejacular, pois essa liberação de líquido quase sempre é confundida com uma prazerosíssima vontade de fazer xixi. Vale dizer que o que se libera não é urina e sim um composto semelhante ao produzido pela próstata masculina, expelido pela glândula parauretral, localizada ao longo da uretra mas encostada na parede vaginal.[6]

Por puro desconhecimento do seu corpo e para não tocar em assuntos "proibidos" ou apenas "não adequados", mais uma vez a mulher é obrigada a conter o fluxo do seu prazer e a esconder o seu orgasmo. É preciso falar que o prazer feminino não é obtido somente com a penetração, que é necessária a estimulação do clitóris e que ele aumenta de volume, fica duro e que podemos, sim, ejacular e fazer visível o nosso prazer, deixando na calcinha e nos lençóis o testemunho do paraíso alcançado.

A verdade está lá fora, embora sempre exista quem queira varrê-la para debaixo do tapete.

---

[6] *A new view of a woman's body.*

Natalie Barney, a Safo de Paris

Natalie Barney era uma moça muito bonita, escrevia uns poemas lésbicos e feministas e às sextas-feiras à noite promovia um salão cultural só para mulheres. Nessas festas, oferecidas ao longo de 50 anos, compareceram Gertrude Stein e sua inseparável Alice, as escritoras Djuna Barnes, Mina Loy, Radclyffe Hall e Colette, a atriz Sarah Bernhardt, a bailarina Isadora Duncan e as jornalistas Margaret Anderson, Jane Heap e Janet Flanner, entre outras muitas mulheres. Homens também eram aceitos. O mais assíduo foi Ezra Pound, mas também apareciam Paul Valéry, Rodin, Rainer Maria Rilke, Andre Gide e, depois, até Hemingway, que ficou chocado com a quantidade de garotas que entravam juntas nos banheiros da casa de Natalie. Uma vez apareceu por lá Greta Garbo, com sua eterna e dedicada Mercedes de Acosta, em estilo *low-profile*, o contrário do que pretendia fazer Mata Hari, quando propôs a Natalie adentrar o salão montada num elefante – é claro que Natalie a dissuadiu da idéia, temerosa de que o elefante estragasse seu jardim.

Hedonista até o último fio de cabelo, Natalie parecia, de certa forma, querer reproduzir nos jardins da sua casa uma Lesbos fictícia. Durante meio século Barney entreteve as mulheres que passavam por lá – mulheres inteligentes, independentes e na sua maioria artistas ou ligadas à arte, como era o caso da americana Silvia Beach e da francesa Adrienne Monnier, dupla que primeiro editou o *Ulysses* de Joyce. Como para que compensar a preguiça que tinha para escrever – ela dizia preferir transformar sua vida em um poema a escrevê-los –, Natalie instituiu às sextas-feiras um salão específico para mulheres, junto com a sua amiga Colette, que o batizou de Academia de Mulheres. A Academia foi criada como protesto contra a proibição de mulheres na Academia Francesa de Letras. Os objetivos da organização eram promover, discutir e facilitar a publicação de livros de jovens escritoras, bem ao estilo do que se acreditava ser a escola de Safo de Lesbos.

E como uma Lesbos reinventada, os salões de Natalie Barney também ficaram conhecidos por ser o acontecimento mais excitante para todas essas mulheres que, literal e fisicamente, amavam-se umas às outras. Todos os artistas que chegavam a Paris e queriam apreciar o fenômeno eram levados aos salões da rua Jacob para conhecer a Safo de Paris.

Natalie não tinha a menor vergonha de dizer a torto e a direito que era lésbica, e pode-se dizer que foi uma das primeiras mulheres a advogar o Orgulho Gay. Estabeleceu-se em Paris na virada do século, justamente para poder viver a sua homossexualidade de maneira franca e aberta. Indolente (se tivesse nascido no Brasil seria baiana, com certeza), escrevia pequenos livros de pensamentos feministas, glorificava Safo e as Amazonas e, com certeza, os seus salões promoveram grandes encontros e germinaram pequenas obras-primas. Ela mesma foi musa de inúmeros poemas e inspirou personagens em vários livros da época: ela é a heroína Evangeline Musset do *Ladies almanack*, de Djuna Barnes; é Valérie Seymour de *O poço da solidão*, de Radclyffe Hall; é Flossie, dos romances de Claudine, de sua amiga Colette; é Flossie também no polêmico *Idílio sáfico*, romance escrito na virada do século por sua amante, a cortesã mais famosa de Paris, Liane de Pougy; e é a Amazona das cartas de Rémy de Gourmont. Isso sem falar de Proust, que no final da vida ficou absolutamente encantado com Natalie, uma Albertine da nova geração.

Ela pregava o amor-livre e nunca admitiu que mulher alguma dividisse com ela o mesmo teto, pois achava casamento uma desgraça. Sua liberdade, no entanto, não a impediu de travar um relacionamento com a pintora Romaine Brooks que durou mais de 50 anos, apesar das infidelidades constantes de Natalie. O truque era simples: cada vez que Natalie se apaixonava por outra garota, Romaine ia dar um tempo em sua *villa* na ilha de Capri. Depois, passado o fogo, voltava para os braços da amada.

O que chama a atenção no caso de Natalie Barney é que, se sua atitude e comportamento em relação ao sexo e ao amor eram liberais, suas posições políticas eram bastante reacionárias. Pacifista durante a Primeira Guerra, Natalie se entusiasmou, no final da década de 1930, com as idéias fascistas de seu amigo Ezra Pound, que falava maravilhas de Mussolinni. No entanto, sua postura ideológica parecia ser muito volúvel: *lady* Una Troubridge, esposa da escritora Radclyffe Hall, escreveu em seu diário que odiava ouvir as baboseiras anti-fascistas da amiga Natalie.[7] Parece mesmo que Barney mudou de opinião logo no começo da Segunda Guerra, quando viveu escondida na Itália, e até ajudou um casal de judeus a escapar para a América – não talvez porque fossem judeus, mas porque eram artistas e lindos. Barney foi, durante muito tempo, acusada também de anti-semitismo, embora essa apreciação não seja muito precisa. É verdade que ela costumava criar aforismos que hoje são vistos como politicamente incorretos – mas também ela jamais conseguiria ser a exímia frasista que foi se não sacrificasse a correção política em prol do humor e da presença de espírito. E, em relação à questão racial, ela própria glorificou sua ascendência judaica no manifesto *Predestined for free choice* (Predestinada para a livre escolha), escrevendo que "meus ancestrais vão de celtas a latinos, judeus e puritanos – e muitos mais. Mas estes contrastes, em vez de criarem uma guerra civil dentro de mim, dotaram-me de um excelente senso de equilíbrio".[8]

Equilibrada, sim, mas extremamente complexa e aparentemente contraditória. Afinal, cultivava um estilo *belle époque*, com cabelos compridos e vestidos esvoaçantes, numa época em que as mulheres usavam cabelos *à lá garçonne* e vestidos retos e angulosos. Isso foi durante os loucos anos de 1920, quando Paris era o centro dos acontecimentos culturais e das transformações que romperam de vez com o século anterior. O aparecimento da "nova mulher", uma mulher independente, dona de seu dinheiro e de sua sexualidade, foi uma das novidades do pós-guerra. E, se algumas dessas novas mulheres eram lésbicas, muitas das que viviam em Paris se reuniam ao redor de Natalie Barney, constituindo uma grande família.

---

[7] SOUHAMI, Diana. *The rrials of Radclyffe Hall.*

[8] *A perilous advantage – The best of Natalie Barney.*

Em geral, as freqüentadoras do salão da rua Jacob, onde se localizava a casa de Barney, eram mulheres apartadas da família e sem filhos (mas algumas eram bissexuais e mães, a exemplo de Colette), que encontravam nessa pequena Lesbos, além de contatos artísticos e literários, o apoio afetuoso que lhes faltava para enfrentar o mundo lá fora, apoio que não se encontra apenas na relação a dois. Apoio e afeto que, vindos de um pequeno núcleo social, são importantíssimos como um sinal de que não somos seres proibidos de expressar homoerotismo socialmente. Mais que o alívio de encontrar uma turma de iguais, os salões de sexta-feira na casa de Natalie funcionavam como um oásis, um espaço seguro para manifestações amorosas públicas e lésbicas, ainda que restritas a um jardim de um salão literário.

Mas é claro que esses encontros não eram só delícias. Como em qualquer grupo, pipocavam pequenas intrigas e desconfianças, como quando Gertrude Stein provocou Djuna Barnes dizendo o quão lindas eram suas pernas (as de Djuna), ao que Djuna reagiu muito mal, já que isso "logicamente" queria dizer que seus livros não eram tão bons assim.

Tudo isso era café pequeno comparado ao suporte emocional que davam umas às outras. Mais que emocional, muitas vezes a ajuda vinha na forma de dinheiro e acolhidas, mesmo depois do fim da famigerada Academia de Mulheres. Após a morte de Gertrude Stein, por exemplo, seu sobrinho surrupiou todas as obras colecionadas por ela e por sua rosa, Alice, alegando que elas não tinham nenhuma comprovação de vínculo reconhecida pela sociedade. Não fosse a ajuda financeira e afetiva de Janet Flanner e de muitas das outras mulheres da mesma teia, Alice não teria sobrevivido à morte de Gertrude.

A própria Natalie ajudou Djuna Barnes até o fim da vida com uma mesada que, somada à ajuda financeira de Peggy Guggenheim e aos direitos de *Esperando Godot*, cedidos por Beckett, ajudaram a autora de *Nightwood* a se sustentar durante toda a sua velhice. Amizades assim, dessas que atravessam décadas aprofundando seus laços, são tocantes e comoventes. Essa irmandade, essa teia de afeto e solidariedade, parece ter sido vital para que mulheres independentes e de vida absolutamente fora do normal, como elas eram, pudessem existir e sobreviver. E Natalie, apesar de seus defeitos e idiossincrasias, ajudou uma pequena população delas.

O que poderia soar como uma opção isolacionista, um grupinho de artistas lésbicas, era na verdade uma ação de defesa: apoiando-se umas às outras podiam atuar corporativamente na pequena sociedade à sua volta. Adrienne e Sylvia emprestavam livros às mulheres que não podiam pagar por eles; Jane Heap e Margaret Anderson editavam no *Little Review* os contos de Gertrude e Djuna; Romaine Brooks pintava o retrato de Natalie, que inspirava Radclyffe Hall e Djuna Barnes a escrever sobre todas elas. Infelizmente, talvez, esse mesmo caráter de isolamento reservou uma posição tímida nas notas de rodapé nos relatos dos Loucos Anos.

A verdade é que o salão das sextas-feiras no jardim sáfico de Natalie Barney fez com que essas mulheres trocassem figurinhas, selinhos e idéias – elas pelo menos fizeram algo. É uma parte da história da efervescente Paris das décadas de 1920 e 1930 que só agora começa a ser revelada com mais clareza e menos pudor.[9] O que podemos aproveitar desse histórico lésbico que nos está sendo contado em livros e documentários é que, se nos juntarmos e nos oferecermos apoio – sem, contudo, nos isolarmos –, nossas chances de sucesso e sobrevivência numa sociedade chauvinista serão maiores. Afinal, os homens sempre se apoiaram e sempre souberam juntar as suas forças – dentro de um exército ou só para jogar um futebolzinho.

E você? Já formou o seu grupinho? Já encontrou a sua pequena Lesbos?

[9] Há uma verdadeira enxurrada de livros publicados e pesquisas financiadas pelos departamentos de *gay studies* e *women studies* das universidades americanas sobre essas mulheres. Eu mesma escrevi uma peça, *As sereias da Rive Gauche*, sobre esse círculo de mulheres.

O doce veneno das tentações

De Romeu e Julieta a qualquer novela da tv hoje em dia, o amor proibido sempre rendeu uma boa trama. Ele excita os sentidos, lança desafios, provoca guerras, disputas e, sem dúvida alguma, transforma uma história comum em um romance apaixonado e explosivo. As dificuldades para dois amantes se encontrarem, a família que é contra o namoro, o parceiro que é casado, a diferença de idade, a diferença de raça, a coincidência de sexos, tudo isso parece não oferecer obstáculos para a enorme paixão e a terrível vontade de ficar junto.

Quem já não sofreu por um amor impossível? Pode-se dizer que pelo menos todos nós, homossexuais, começamos nossa vida afetivo-sexual experimentando os sabores de uma paixão proibida. Quem descobriu-se gay na adolescência com certeza enfrentou dificuldades familiares de vários tipos, desde a proibição de encontrar novamente sua "amiguinha" até mesmo à drástica e desamorosa expulsão de casa.

Mesmo depois de crescidos, a tentação que um romance proibido exerce sobre nós é algo notável. Como explicar a irremediável atração de algumas pessoas por mulheres casadas? Ou o inverso, pessoas casadas mas que se vêem enredadas de repente em um romance extraconjugal, quentíssimo, talvez justamente por ser algo proibido?

Adicionem-se a isso diferenças de raça, credo, homossexualidade e um mundo em guerra ao redor e teremos um cenário perfeito para um tórrido romance entre duas mulheres. É o que nos relata a jornalista alemã Erica Fischer em seu livro *Aimée & Jaguar: uma história de amor.*[10] Ela conta a história real da paixão entre duas mulheres: Lilly, casada com um soldado nazista, mãe de quatro filhos, e Felice, uma judia lésbica vivendo clandestinamente no submundo berlinense.

O livro é belíssimo e traz depoimentos da própria Lilly e de algumas pessoas que conviveram com ela durante a guerra. O modo como uma dona de casa quase nazista se transforma depois que se apaixona por uma mulher é algo tocante. Quando descobre que sua amante é judia, Lilly abraça a luta de Felice, chegando até a costurar a estrela de Davi na própria roupa. O livro todo é muito bem documentado por fotos e cartas, graças ao carinho com que Lilly guardou todas as lembranças de Felice e a ela dedicou o seu amor e o resto de sua vida.

Não vou contar o final da história, mas é interessante como no posfácio a autora questiona se o romance seria tão tórrido em circunstâncias normais. A paixão seria tão grande se não houvesse a guerra e aquela sensação de viver cada dia como se fosse o último? O amor teria resistido tanto tempo se Felice não tivesse sido arrancada dos braços de Lilly e levada para um campo de concentração? Essas perguntas ficam no ar. Não encontraremos nunca uma resposta que não seja mera especulação.

Em todo caso, a aura de um romance proibido inspira muitos de nós em diferentes épocas de nossas vidas. É até comum ouvirmos pessoas dizerem que o que mais as atrai num romance homossexual é esse clima de obscuridade. O que excita, o que dá tesão, é o aspecto transgressor do fato de amar alguém do mesmo sexo. Argumentam inclusive que, quando o amor homossexual for algo bem aceito pela sociedade, essa mágica acabará. Talvez por isso mesmo essas pessoas nem dêem muita bola para os grupos ativistas que pretendem a conquista de vários direitos civis negados aos homossexuais.

Apesar de respeitar esse ponto de vista, é impossível deixar de notar uma certa ingenuidade nessa opção pela clandestinidade. É como achar que um romance só é quente se houver alguns desses ele-

---

[10] *Aimée & Jaguar* foi transformado em filme em 1998. As duas atrizes principais dividiram o Urso de Prata do festival de Berlim do mesmo ano como melhores atrizes.

mentos impeditivos e que sexo bom é aquele que encontra dificuldades para se realizar. É lógico que só se faz fogo se houver faísca e atrito, mas a fricção pode ser obtida, psicologicamente falando, em vários níveis de experiência, e não só por meio de impossibilidades e impedimentos.

Achar que a mística transgressora de um romance homossexual pode acabar só porque um dia gays e lésbicas serão vistos como normais na sociedade é, no final das contas, uma terrível aceitação da vida na obscuridade. Como se o amor por si só já não fosse suficientemente transgressor.

A grande bobagem é achar que o doce veneno das tentações do submundo desaparecerá depois que forem adquiridos alguns direitos civis básicos. É achar que quando um casal gay puder aparecer num comercial de tv a coisa terá se banalizado tanto que quase perderá a graça. Como se não tivéssemos mais de mil e uma maneiras de transgredir e provocar o mundo.

O doce apelo do amor proibido nunca deixará de existir. Assim como assegurar direitos iguais a todos, independentemente da orientação sexual, é deixar cada um livre para optar por fazer uso desses direitos ou não. Quem quiser viver escondido, que viva. Eu é que não quero ver meu amor morrer definhando num campo de concentração. O máximo que um amor proibido vai me provocar é a vontade de gritar: É proibido proibir!

Ri melhor quem ri de si

Os humoristas andaram reclamando muito desde que a onda americana do politicamente correto começou a atingir níveis insuportáveis de mau humor. É impossível fazer humor quando há policiamento impedindo que se ofendam as ditas minorias. É claro que há brincadeiras e piadas de péssimo gosto, como a maioria de piadas sobre negros. Mas o fato é que judeus adoram contar piadas sobre judeus e alguns gays amam fazer caricatura exagerada da bicha louca – e fazem o maior sucesso!

Rir de si mesmo é um dom divino. Deixar de ter noção do ridículo pode ser uma ótima medida anti-stress, assim como se levar a sério demais pode tornar uma pessoa muito chata. E chatos nos tornamos todos quando nos colocamos como vítimas da sociedade por sermos homossexuais, quando nos ofendemos com qualquer piada – e perdemos a oportunidade de rir e dar o troco – ou quando a militância deixa de ser eficiente para ser apenas rancorosa.

O estereótipo clássico do gay sempre esteve ligado a festas, carnaval e alegria, tanto que a palavra *gay* (alegre) é hoje universalmente aceita como designativo geral dessa parcela da população que prefere manter relações sexuais com os do mesmo sexo. Então por que não usar essa alegria e esse senso de humor na hora de agir politicamente ou no momento de comentar assuntos relevantes?

Quando Camille Paglia declarou que as lésbicas eram mais burras que os gays, a primeira reação de muita gente foi rechaçar de imediato a afirmação da teórica americana. Mas, num segundo momento, quase todas as minhas amigas riram, concordando com Paglia: afinal, todas elas conheciam muitas lésbicas burras (as outras, claro...). A primeira reação a esse tipo de piada é de defesa: você se identifica com o rótulo e passa a encarar a frase como uma ofensa pessoal. Mas se você recupera o humor, pode usar o seu senso crítico para reparar nas suas pequenas coisas ridículas e até fazer novas piadas, se você não gostou muito da que Camille contou.

Assim fazem os nossos camaradas judeus: contar piadas a respeito de si é também uma maneira de se valorizar e, ninguém duvida, judeus sabem se dar valor. Assim faz também a cartunista americana Alison Bechdel, autora das tiras *"Dykes to watch out for"*, publicadas desde 1987, um sucesso comercial sem precedentes em se tratando de uma série cômica na qual todas as personagens principais são lésbicas.

Bechdel consegue captar todas as peculiaridades de uma relação lésbica fazendo uma crítica muito bem-humorada do modo de vida, das aventuras e desventuras de meia dúzia de sapatas. Num quadrinho em que aparecem duas namoradas se agarrando na cama, uma delas olha para o leitor e diz: "Não, nós não estamos fazendo amor! Ela roubou minha última calcinha limpa e estou tentando pegá-la de volta!". Bingo! Quem for lésbica e nunca tiver trocado de calcinha com a namorada que atire a primeira pedra.[11]

Na tira *"Serial monogamy"* (Monogamia seqüencial: um casamento monogâmico após o outro, o tipo de relacionamento mais comum entre as lésbicas), uma garota resolve fazer um álbum de recordações de todas as ex-namoradas, lembrando-se de como um romance passa por várias etapas de adaptação. Para começar, um período de "insanidade temporária", o famoso "grude", em que vemos em primeiro plano duas pilhas de papéis: uma de trabalhos não cumpridos e outra de contas não pagas, ao lado da secretária eletrônica, cheia de mensagens não respondidas. Ao fundo, uma garota pergunta desesperadamente para a namorada que se retira do quarto:

– Aonde você vai?

– Ao banheiro, volto logo...

– Espera! – o tom ainda é de pânico – eu vou com você!

---

[11] BECHDEL, Alice. *Dykes to watch out for: the sequel.*

E por aí vai. Depois do primeiro encontro, o segundo, que, quase sempre, vem acompanhado de uma mala com roupas, pois todo mundo sabe que lésbicas se casam logo após o primeiro encontro. A seguir, a fase mais "temida", quando o sexo dá lugar às brincadeiras de irmãzinha (a famosa *lesbian death bed*) e, embora algumas superem essa fase, a maioria dos casamentos termina com rompimentos que são verdadeiros dramalhões mexicanos. Para consolar, entram em cena as amigas e todas as ex-amantes, já que ex-namoradas quase invariavelmente ocupam, após um breve período de carência, o posto de "melhores amigas". Passado o luto é chegado o momento então de sair à caça com entusiasmo extra, pois lésbicas sempre acham que o próximo romance será com a "verdadeira mulher da minha vida".

Bechdel, talvez até mesmo por ser homossexual, consegue fazer uma crítica fina e amorosa do mundo lésbico, pois conhece a fundo os seus mecanismos, a sua graça e as suas particularidades. É uma pena que *"Dykes to watch out for"* não seja publicado aqui no Brasil, pois o humor de Bechdel ultrapassa os limites do círculo gay e lésbico e consegue ser engraçado seja qual for a orientação sexual do leitor. Afinal, se é para ser visível, que seja a coisa mais linda, mais cheia de graça.

Que seja eterno enquanto dure

É sábado e os convidados começam a chegar. Enquanto Gertrude entretem a todos com sua conversa sagaz e inteligente, Alice serve bebidas e bolinhos e faz sala para as esposas dos convivas, que são, na maioria, jovens artistas e escritores apontando para o caminho da fama. Se não fosse Alice a cuidar da casa e dos afazeres domésticos, não fosse ela a datilografar originais, acumulando também o papel de secretária, Gertrude certamente não conseguiria se concentrar nos seus livros e nem em suas reuniões com a nata artística de expatriados talentosos. Elas se amam profundamente e ficarão juntas por 39 anos, até a morte de Gertrude.

Natalie é outra escritora que mora bem perto de Alice e Gertrude, na mesma Rive Gauche, e também promove salões artístico-intelectuais em seu jardim. Só que Natalie prega o amor livre e não conseguiria jamais permanecer fiel num casamento como o de Alice e Gertrude. Natalie segue o fluxo das suas paixões e a sua única restrição no campo amoroso parece ser em relação aos homens, dos quais ela prefere ser apenas amiga. Mas querendo reconstituir uma Lesbos em plena Paris do começo do século, Natalie se encanta pelas moças e namora quase todas, para desespero de Romaine, sua parceira mais constante. Mas Romaine vai agüentar firme, vai conseguir suportar os romances paralelos da parceira, até mesmo o *affair* de dez anos que a amada manteve com Dolly, sobrinha de Oscar. Romaine ama Natalie que ama todas as mulheres do mundo. Ela só vai largar a namorada depois de 50 anos juntas, ao descobrir que nem aos 80 anos de idade Natalie consegue sossegar a periquita: caiu de amores pela enfermeira!

Enquanto isso, nos Estados Unidos, uma outra Gertrude faz uma turnê com os seus shows e, passando por Chattanooga, conhece uma jovem cantora que resolve fugir de casa e aderir à trupe. Gertrude, mais conhecida como Ma Rainey, praticamente adota a garota Bessie e lhe dá casa, comida e, principalmente, carinho. Ma ensina Bessie a cantar o blues e a cantar mulheres. Bessie ficará eternamente agradecida a Ma e pagará sua fiança quando esta for presa no Harlem por promover uma orgia lésbica em seu apartamento.

E é nessa mesma Nova York que Thelma vem parar e acaba encontrando Edna, com quem trava um romance tórrido. Thelma deixara Paris e Djuna, que, inconformada, escreve seu melhor romance, *Nigthwood*: uma obra em que a protagonista é uma mulher de espírito liberto que não consegue ser fiel à sua amante. Djuna extravasa a sua dor e o seu desespero através da máquina de escrever, a mesma em que uma vez datilografou o *Ladie's almanack*, escrito apenas para distrair Thelma. Naquela época em que ainda eram felizes, Djuna se dava ao luxo de escrever uma pequena obra de arte somente para entreter sua adorada, que convalescia numa cama de hospital, essa mesma amada que agora a deixava para ficar com uma antiga amiga e rival de Djuna, Edna.

Em Nova York também estava Greta, apenas de passagem, a caminho da Europa para dar um tempo de Hollywood. Aliás, para dar um tempo de tudo e de todos. Afinal, Greta, acima de qualquer coisa, queria ficar só! Isso para tristeza de Mercedes que era completamente apaixonada por ela. Mercedes, resolve buscar consolo nos braços de Marlene, mas não consegue esquecer Greta. Sentindo-se culpada por não amar Marlene como ama Greta, Mercedes faz uma proposta como compensação: traz para a cama de Marlene a mulher que ela desejar. Marlene não responde. Provavelmente, sabe o quanto irá ferir Mercedes ao pedir que traga a própria Garbo para sua cama.

Ah, o amor! Como diria Vinicius, que seja eterno enquanto dure... Porque, depois que acaba, podem esperar pela tempestade. Choro, corações feridos e, quem diria, até brigas na Justiça. Martina está prestes a assinar um acordo em que partilha o dinheiro que ganhou nas quadras de tênis com sua ex, Judy. Ela parece estar de acordo com a divisão de bens, mas reclama que Judy levou embora todas as suas roupas, inclusive as íntimas. Mas quem sabe ao certo qual calcinha é de quem?

Paixões, infidelidade, triângulos amorosos, inspiração para poemas, romances, começos febris, finais tristes, algumas amizades eternas, uns casamentos estáveis e outros que são uma montanha-russa. Gertrude Stein & Alice Toklas, Romaine Brooks & Natalie Barney & Dolly Wilde, Ma Rainey & Bessie Smith, Djuna Barnes & Thelma Wood & Edna St. Vincent-Millay, Greta Garbo & Mercedes de Acosta & Marlene Dietrich, Martina Navratilova & Judy Nelson. São tantas as cenas e tão triviais que ouso dizer que o amor entre mulheres é tão banal quanto extraordinário.

Por isso, ninguém mais se assusta se o presidente Clinton recebe o famoso e declarado casal lésbico Ellen de Generes e Anne Heche em festa na Casa Branca. Só para não perder o costume: afinal, há mais de cinqüenta anos, a primeira dama Eleanor Roosevelt adorava usar nessas mesmas festas um lindo anel de safira, presente de sua amante, a inseparável amiga e jornalista oficial da Casa Branca, Lorena Hickock. Ah, o amor!...

Muito além da alcova

Um dos argumentos mais usados por gays e lésbicas que não querem sair do armário é a frase: "O que eu faço entre as quatro paredes do meu quarto não é da conta de ninguém". Ok eu concordo. Eu mesma não saio por aí falando que prefiro 69, *fist fucking* ou *strip-tease* para me excitar durante as preliminares. Mas mesmo que eu não revele meus segredos de alcova, nada impede que eu deixe claro que gosto de namorar garotas.

O que acontece é que algumas pessoas ainda encaram o relacionamento homo como algo pura e exclusivamente da alçada sexual, esquecendo-se de que existe um mundo fora das quatro paredes do seu próprio quarto. Pensando dessa maneira, essas pessoas vivem plenamente a sua vida homossexual dentro de casa, dentro dos bares gays e do gueto e, como sua vida "sexual" não interessa a mais ninguém, não vêem necessidade de tornar visíveis a sua orientação sexual e a sua expressão homoerótica e afetiva.

O que muita gente esquece quando usa esse argumento é de que gays e lésbicas são, além de homossexuais, seres sociais. Insistindo na tese de que a homossexualidade é uma questão de foro íntimo, reforça-se mais um preconceito: o de que gays e lésbicas só pensam em sexo, cama, orgasmos e suspiros. Ou seja, coloca-se a transa homossexual como algo que não sai do quarto e que não vai para a sala de visitas. Pois saibam que essa é mais uma das manobras silenciosamente orquestradas pelo hetero-patriarcado para privar gays e lésbicas de um poder extraordinário: o poder de expressar socialmente o seu amor.

Hoje em dia a sociedade reserva áreas específicas para que gays e lésbicas possam expressar publicamente seu afeto – bares onde podem se encontrar para exercitar o seu poder de sedução. Isso não soa um pouco como um *apartheid*? Não se parece também com os Estados Unidos dos anos de 1950, quando os negros tinham que se sentar na parte de trás dos ônibus para não se misturar com a população branca?

A maioria dos gays e lésbicas do nosso país, no entanto, ainda prefere viver segregada. A facilidade que o gay tem para esconder a orientação sexual da família, no ambiente de trabalho e no espaço público faz com que exista uma falsa impressão de que é plenamente acolhido pela sociedade, quando de fato esse abrigo é bem meia-boca: tudo bem, pode ser lésbica, mas não beije sua namorada num shopping center...

Você pode achar que passa a sua vida numa boa sem beijar sua queridona num shopping, mas isso é, sim, segregação. A ocupação do espaço público é importantíssima para qualquer pessoa. É em público que encontramos os outros cidadãos que compõem nossa sociedade e, se queremos fazer qualquer coisa na vida que não seja entre as quatro paredes do nosso quarto, é no espaço público que iremos trabalhar para melhorar, entreter e transformar o mundo à nossa volta.

Por isso é necessário que os homossexuais ocupem o espaço público de maneira honesta e franca, porque se deixarmos todo nosso poder de sedução trancado no armário, além de parecermos tolos, mal amados e assexuados, estaremos privando a sociedade da nossa valiosa contribuição como cidadãos. Um gay que atua publicamente sem poder manifestar o seu homoerotismo estará atuando pela metade, pois falar em alto e bom som que se ama e a quem se ama é um dos mais poderosos gritos de guerra jamais inventados. O hetero-patriarcado é mestre na glorificação das suas expressões amorosas: do romance entre César e Cleópatra até a incrível paixão de Rose e Jack no filme *Titanic*, a expressão amorosa heterossexual sempre serviu como mola propulsora, arma e estímulo para heróis que conquistaram impérios e transformaram o mundo para sempre.

Ora, se a expressão amorosa tem tanto poder assim, porque vamos deixar de expressar o nosso amor publicamente? Não estaria mais do que na hora de tirar o amor homossexual de dentro das quatro paredes do quarto e apresentá-lo finalmente à sala de visitas? Quem levará a melhor se continuarmos dentro do armário? Com certeza, aqueles que têm problemas quando vêem dois homens se beijando. Quem fica do lado de dentro só ganha mesmo a companhia nada agradável das traças e dos cabides.

Pois então, para aquelas que dizem "o que faço entre as quatro paredes do meu quarto não é da conta de ninguém", eu respondo que certamente não é da minha conta se você prefere dedos ou dildos. Mas que isso não a impeça de sair de mãos dadas com a sua namorada num shopping center e que isso não seja argumento para você deixar de ocupar o espaço público com as suas expressões homoafetivas.

Não esqueça nunca que a manifestação do seu amor é uma das coisas mais divinas e poderosas que você pode usar. Não a exercite somente no quarto, em casa, nos bares e no gueto. Não deixe a sua expressão amorosa morrer na praia, no trabalho ou na sala de jantar da sua família. Expresse o seu homoerotismo e seja feliz. O mundo agradece.

A genética explica?

Parece que virou febre. Depois do médico que percebeu diferenças no hipotálamo de homens gays, a ciência genética tem procurado um gene que possa determinar a orientação sexual de um indivíduo. Em 1998 foi lançado, nos Estados Unidos, o livro *Living with our genes*, tese do geneticista Dean Hamer que provocou uma certa polêmica, principalmente entre as ativistas lésbicas.

Depois de muitas pesquisas como chefe do Laboratório de Bioquímica do National Cancer Institute, Hamer afirma no livro que, se por um lado o comportamento gay parece ter uma clara origem genética, as lésbicas são mais fruto do meio e do ambiente à sua volta. Hamer chegou a essa conclusão depois de pesquisar lésbicas que eram mães, descobrindo uma curiosidade: segundo seus estudos, haveria 33% de chance de uma mãe lésbica ter uma filha também lésbica. Como esse alto percentual é praticamente impossível de acontecer numa transmissão genética, Hamer concluiu que a mãe lésbica e o seu ambiente influenciam a filha durante os anos da sua formação.

Nem é preciso dizer que a teoria caiu como uma bomba nos ouvidos das ativistas lésbicas. É só lembrar que o principal argumento usado por juízes para negar a custódia de crianças a casais gays baseia-se na discutível questão da "má influência". Com a teoria de Hamer de que há uma chance em três de uma mãe gay ter uma filha que vai ser gay um dia, sem dúvida a batalha de lésbicas pela custódia de seus filhos biológicos ou adotados será muito mais dura.

Nas suas entrevistas para a pesquisa, Hamer percebeu também que a sexualidade da lésbica é muito mais fluida que a do homem gay. As lésbicas parecem não ter problemas em fantasiar com homens, assim como as mulheres heterossexuais admitem fantasiar com mulheres. Já a maioria dos homens gays é inflexivelmente gay, assim como os hetero, são inflexivelmente heteros. Como geneticamente as mulheres teriam essa fluidez, isso explicaria o fato de muitas filhas de lésbicas terem facilidade para "escolher" o caminho da homossexualidade – se pensarmos bem, o mundo macho e patriarcal que nos cerca é o nosso melhor convite para o lesbianismo.

A pesquisa de Hamer, porém, é apenas uma entre as muitas que estão se aprofundando na questão "gays & filhos". Há um outro estudo recente, também americano, que demonstrou que filhos de casais lésbicos não diferem em qualidade e afeto daqueles criados por casais heterossexuais (a não ser por um dos resultados, que apontou que o "pai-lésbica" é mais presente na educação do filho que o pai-hetero). Muitos estudos como esse servem de base para advogados que lutam pelo direito de adoção por casais gays.

Mas, voltando ao dr. Hamer, se por um lado as ativistas lésbicas se assustaram um pouco com as suas teorias, os conservadores também não o deixam em paz, acusando o médico de estar agindo segundo os interesses da comunidade gay. Hamer foi pressionado a dizer que é gay, mas disse que não fala com a imprensa sobre o assunto – pediu que conversassem sobre isso com seu namorado.[12]

O caso é que o geneticista está firme no propósito de provar que a orientação sexual do gay tem origem genética e isso irrita bastante os antigays, que têm "certeza" de que o homossexualismo pode ser curado. E, para lutar contra conservadores que insistem em converter homossexuais, os militantes gays preferem adotar a teoria geneticista do foi-Deus-quem-me-fez-assim, argumentando que seus instintos e impulsos são inatos.

Essa polêmica só me faz ter certeza de como é irrelevante saber se a causa da homossexualidade é genética ou não. Não é esse o ponto. Heterossexuais nunca ficaram perdendo tempo explicando as causas da sua heterossexualidade e no entanto são bem aceitos como paradigmas da normalidade. Por mais que se tente explicar o que causa a homossexualidade – e essas pesquisas tendem a dar ares de normalidade aos gays e lésbicas – isso definitivamente não ajuda

[12] Fato relatado à revista *The advocate*, fevereiro de 1998.

ninguém a ser mais aceito ou a se sentir melhor. Enquanto reinar esse horroroso senso comum de que gay e lésbica são anormais, invertidos e imorais, não há teoria genética que convença os carolas de plantão de que somos iguais a eles (arghh). Enquanto existir um sistema judiciário que priva uma mãe lésbica de ter a custódia da sua filha baseando-se em preceitos morais, pouco importa saber as causas da homossexualidade. Enquanto um beijo entre lésbicas na tv for proibido para menores, ainda estaremos correndo perigo de perder os nossos filhos num tribunal, pois também é senso comum que gays e lésbicas não devem se misturar às crianças.

Esse estigma de imoralidade é que é o combustível dos conservadores que negam os nossos direitos civis mais básicos. Enquanto eu tiver que olhar para os lados antes de beijar a minha namorada em público, com medo de provocar confusão, vou me sentir uma cidadã de segunda classe. Pouco me importa se nasci assim ou se vou ser sempre assim. Respeito é bom e eu gosto: quero meus direitos porque pago meus impostos.

A última gota d'água

Durante um debate do qual participei na MTV sobre lesbianismo, me foi mandado um e-mail de uma garota que queria saber se poderia ser considerada lésbica já que, mesmo tendo um namorado, ela também sentia tesão por garotas. Infelizmente eu não tive tempo de responder a pergunta no ar, pois o programa estava no final. Esse tipo de pergunta é supercomum, principalmente quando a pessoa está descobrindo a própria sexualidade e há uma certa pressão ou ansiedade para se encaixar nesse ou naquele rótulo.

Primeiro, é bom lembrar que essa classificação de modalidades sexuais é bem recente. Foi somente no final do séc. XIX que começaram a surgir os primeiros estudos notadamente científicos sobre a homossexualidade. Antes disso, a palavra "homossexual" não existia e alguns mitos sobre sexualidade eram amplamente aceitos. O ato sexual, por exemplo, só era definido como tal se houvesse penetração peniana. Por isso, o ato entre duas mulheres não era considerado crime na Inglaterra vitoriana, mas em compensação a sodomia, condenada também pela Igreja, era crime – e gravíssimo.

Os primeiros estudos sobre sexualidade surgiram no rastro da onda cientificista do séc. XIX, quando o homem procurou entender tudo e todos sob a luz da ciência. A cada ano foram surgindo novos estudos, tentando explicar a preferência sexual de certas pessoas pelas do mesmo sexo. Partindo do princípio de que o embrião humano possuía os dois sexos, descartando um deles no processo de amadurecimento, o alemão Karl Ulrich dizia que uma pessoa tornava-se homossexual quando o processo físico de descartar um dos sexos não era acompanhado pela porção do cérebro que controlava essa pulsão sexual. Nasceu então a teoria da inversão: o invertido seria uma mulher aprisionada num corpo de homem e vice-versa.

Essa teoria disseminou a idéia de que a "inversão" era inata e fez com que esse argumento fosse usado para acabar com as leis antisodomia: se a homossexualidade não era uma escolha, os indivíduos que a praticavam não teriam culpa disso e portanto não poderiam ser enquadrados como criminosos e, muito menos, pecadores. Mas se por um lado a homossexualidade deixava de ser vista como um crime, ela agora começava a ser encarada como desvio e doença e, é claro, começaram a surgir os primeiros médicos e psicólogos que prometiam terapias ótimas para corrigir e "curar" invertidos.

Em meados da década de 1890, no entanto, foi publicado o livro *Sexual inversion*, de um tal de Havelock Ellis, que sustentava que não só a inversão não poderia ser curada como também não poderia ser considerada doença nem desvio (Ellis era um cientista conceituado: seus trabalhos serviram de referência para Freud na sua *Teoria da sexualidade*). Para Ellis, a inversão era apenas uma modalidade diferente da sexualidade humana e jamais uma degeneração, apontando inclusive para uma incrível capacidade artística e intelectual comum a vários homossexuais, como o filósofo Platão e o gênio Leonardo da Vinci.[13] Além disso, Ellis, depois de descobrir que sua esposa desejava também mulheres, percebeu que a sexualidade humana era bem mais fluida do que se pensava, e nem sempre um homossexual adotava maneirismos do sexo oposto, outro mito muito comum.

O fato é que, com tantas teorias surgindo, gays e lésbicas passaram a ser vistos agora como um grupo específico, bem mais visível e passível de ser rotulado, com detratores de um lado e defensores do outro. Apesar de no final da sua vida Freud corroborar a idéia de Ellis – que a sexualidade humana é fluida e que gays e de lésbicas não podem e nem devem ser "curados" –, o tabu e o silêncio sobre o assunto sempre foram tão grandes que muita gente hoje em dia ainda pensa como os antigos sexologistas, ou nem isso. Muitos ainda

[13] Freud também notou essa superioridade artística e intelectual nos homossexuais e atribuiu o fenômeno a um processo psíquico de sublimação, em seu estudo *Três ensaios sobre a teoria da sexualidade*.

acham que gay é travesti e que lésbicas podem ser curadas. Ou que todos os gays têm trejeitos femininos e que lésbicas são como são porque tiveram experiências "ruins" com homens. E muitos ainda acreditam que uma garota, só porque tem um namorado, não pode sentir tesão por outra mulher.

Bobagem. Existem mais mistérios na sexualidade humana do que a nossa vã filosofia pode rotular. Para a garota que me escreveu o e-mail, eu só posso dizer que essa história de rotular alguém de gay ou lésbica foi apenas um acidente de percurso, uma necessidade "científica" de categorizar e descrever a sexualidade como matéria exata. Podemos ser lésbicas hoje e desejarmos um homem amanhã. E a garota que me escreveu pode ser hetero e sentir tesão por uma mulher. Não há problema. O problema começa quando tentamos traçar limites precisos para o nosso desejo, construindo diques, como na tentativa de dominar as correntezas de um rio. Aí, meu bem, ou se abrem as comportas ou se espera pela fatídica gota d'água que vai transbordar o copo.

Mundo para gregos e troianos

Em junho de 1998, durante a Parada do Orgulho GLT em São Paulo, eu fiquei atônita depois que uma amiga veio me dizer que uma conhecida nossa resolveu não ir à parada por causa dos travestis. Parece que essa nossa conhecida não estava a fim de desfilar ao lado "desse povo que se prostitui". Puta fiquei eu. Mas infelizmente essa conhecida nossa não é a única que pensa dessa maneira. Muita gente que é "do babado" não se entusiasma nem um pouco com esse tipo de manifestação e muitos não se sentem à vontade de se alinhar com pessoas diferentes, mesmo que a "causa" seja comum.

Da mesma maneira, muitos que não têm problemas de se juntarem aos travestis numa Parada de Orgulho Gay ou num desfile de escola de samba não suportam a idéia de participar de um debate, de uma palestra ou *workshop* que discuta qualquer tema relacionado à questão gay. Ou melhor, não gostam de debates ou reflexões sobre tema algum e acham esse negócio de discussão e politicagem uma coisa muito chata. Do outro lado, os ativistas gays, engajados seriamente na luta contra o preconceito, reclamam de seus pares que parecem preferir as boates às salas de debates.

A mídia convencional, quando trata do assunto homossexualidade, em geral o faz de maneira sensacionalista. São pencas de reportagens televisivas mostrando o submundo dos travestis e a pegação nas boates gays, quase sempre com um olhar tipo "veja-como-eles-são-esquisitos". Dessa maneira isolam o fenômeno como se o mundo gay fosse algo "diferentão" e a quilometros de distância da vida familiar do brasileiro comum. Veja bem, não que eu não goste de assistir a reportagens sobre travestis e sapatonas (eu adoro travestis e sapatonas). Eu não aprecio é a maneira como elas são apresentadas: como um *freak show* – o que é engraçado às vezes, mas não sempre.

Já os jornalistas, quando empenhados em escrever ou gravar uma matéria sobre homossexualidade, reclamam que nunca acham ninguém que tope falar do assunto e é sempre aquela meia dúzia que concorda em mostrar a cara e expor suas vidas. Quando vão atrás de alguma lésbica ou gay famosos sempre ouvem que não, sobre "aquele" assunto eles não podem falar. Então a mídia convencional acaba ficando com poucos elementos para trabalhar, e com pouco para mostrar. Por isso talvez o público não-gay fique com a impressão de que a bicha é sempre efeminada e a lésbica, a sapata machona.

Aí voltamos para o caso daquela minha conhecida, que não queria se juntar às travecas na Parada do Orgulho. Pessoas como ela não suportam ser identificadas com essas sapatas machonas e talvez por isso ela não saia por aí se assumindo como lésbica. Ela provavelmente não entende como uma mulher pode querer ser meio macha e acha isso feio, não entende. Mesmo alguns ativistas acham, no fundo, que as sapatas machonas e as bichinhas femininas contribuem para que os "caretas" tenham uma visão deturpada do mundo gay e acabam, quase inconscientemente, pregando um modelo *low-profile* para gays e lésbicas.

Ao mesmo tempo, a mulherada reclama que não existem bares só para elas, que sempre, depois de um tempo, as bibas todas vão para lá e tomam conta do pedaço. Reclamam também que não há uma publicação para elas e que a revista *Sui Generis*, por exemplo, traz sempre mais reportagens e editoriais para os garotos. Mas aí, quando eu vou participar de um debate sobre visibilidade lésbica, olho em volta e a grande maioria dos participantes é formada por homens. É claro que conheci algumas mulheres nesses anos em que intensifiquei meu contato com o ativismo, mas elas são poucas e também estão perplexas com a falta de participação do resto da mulherada.

Todos esses exemplos de diferenças, incoerências e discordâncias são reais e muito presentes quando se trata da questão gay. Mas diferenças, incoerências e discordâncias não me assustam. O que me incomoda é perceber que a maior parte dos gays e lésbicas, mesmo reclamando que são discriminados, não saca que eles mesmos engrossam essa fileira dos que não toleram os diferentes. É preciso ser mais pragmático. Assim como você não precisa necessariamente ser amigo de um colega de escritório, nem precisa gostar das mesmas coisas que ele gosta para executarem bem um trabalho, da mesma maneira você não precisa ser amigo ou gostar das mesmas coisas que aquela traveca que está ali, manifestando seu orgulho na avenida. O importante é juntar as vozes em prol de um mesmo objetivo: acabar com o preconceito.

Por isso a luta e a causa gay só fazem sentido para mim se forem em prol da tolerância e da convivência entre os diferentes, seja lá que diferenças forem essas. Por isso digo: Salve a bicharada, a flora e a fauna. Viva a biodiversidade!

Lésbica ou transbicha?

Que *piercing* que nada! A intervenção mais radical que uma pessoa pode fazer em seu próprio corpo tem outro nome: cirurgia para mudança de sexo. Já sei, você vai dizer que essas operações existem há muito tempo e que aqui mesmo no Brasil as travecas já estão carecas de saber endereços de boas clínicas para fazer um implante de silicone. Mas eu estou falando do contrário. São as garotas agora que estão fazendo tratamento para mudança de sexo. Impossível? Não. Nada mais parece ser impossível para a ciência atualmente. Há uns cinco anos, mais ou menos, a tecnologia médica avançou no campo das cirurgias para mudança de sexo e os progressos mais significativos ocorreram nos tratamentos para mulheres que querem "virar" homens. Se você não tem estômago – ou uma abertura qualquer – para saber os detalhes sobre esse tipo de transformação, pule este capítulo.

Nos Estados Unidos, essas cirurgias são legais, mas a garota que quiser mudar de sexo tem antes que passar por uma bateria de avaliações psicológicas e psiquiátricas – o que pode levar de um a dois anos – para depois começar um longo tratamento com hormônios masculinos. Nessa fase, em que se passa a tomar hormônios regularmente, as transformações começam a acontecer. Crescem pêlos no corpo todo e quem quiser pode recorrer também ao auxílio de um tipo de esparadrapo que contém hormônios, aplicando-o diretamente nas regiões do rosto, para o surgimento de barba e bigode. Como conseqüência do tratamento hormonal, os músculos se desenvolvem e a taxa de gordura no corpo tende a baixar, principalmente com a ajuda de uma boa malhação. A menstruação é interrompida e o clitóris aumenta de tamanho, atingindo até seis centímetros ou mais, dependendo da idade da garota: quanto mais jovem ela é, maiores são os efeitos dos hormônios.

Depois, se a garota quiser, pode partir para uma série de cirurgias, podendo optar por algumas modalidades. Há garotas que fazem apenas uma mastectomia – a retirada dos seios –, mas que se recusam a mexer nas partes de baixo porque, apesar dos avanços da medicina, muitas morrem de medo de ter sua sensibilidade genital afetada. No entanto, as que querem modificar a parte genital encontram, hoje em dia, duas possibilidades. A primeira é fazer dos grandes lábios um pequeno saco escrotal, mas sem interferir ou modificar o clitóris e sem obstruir a abertura vaginal. A segunda opção é, na verdade, uma série de intervenções cirúrgicas, começando pela retirada do útero e dos ovários. Depois é feita a cirurgia para a construção de um pênis, chamada faloplastia. Nessa cirurgia, um pequeno pedaço de pele do antebraço ou da perna é retirada para recobrir o pênis, constituído basicamente de uma prótese – dessas que são usadas geralmente para casos de impotência masculina –, agregada a enxertos de tecidos gordurosos. O clitóris e todas as suas terminações nervosas são usados para reconstruir esse pênis e uma sonda é colocada para fazer as vezes da uretra até que o canal seja formado. Com o tempo, os médicos garantem, as terminações nervosas do clitóris recuperam a sensibilidade e, depois de retiradas as sondas, a garota/garoto pode começar a levar uma vida sexual normal.

Pode parecer exagerado dizer que isso está se tornando uma tendência entre muitas sapatonas americanas, mas nunca se viram tantos transexuais masculinos nas ruas de San Francisco. Esses transexuais costumam ser designados pela sigla politicamente correta FTM do inglês *female-to-male*, que se transformou de mulher para homem. Recentemente, a fotógrafa Loren Cameron, ela mesma uma FTM, andou por toda a América levando a sua exposição *The body alchemy* (A alquimia do corpo), com fotografias que registravam o processo de transformação dela própria e de várias FTMs. Depois, baseada na exposição, ela lançou um livro que ajudou a tornar visíveis essas mulheres/homens que desafiam completamente a visão do mundo dividida em dois gêneros, o masculino e o feminino. Como se não bastasse a transição de gêneros, algumas FTMs, depois da cirurgia e da mudança de sexo, passam a se interessar por homens, ou seja, tornam-se homens gays. Como prova de que uma mudança assim não é tão incomum, até mesmo um termo específico já foi criado para elas: *transfags* – algo como transbichas.

É muito para a sua cabeça? Ou você consegue se abrir para as infinitas possibilidades que a ciência, a medicina e a tecnologia nos oferecem hoje em dia? Dica para os que estranham todas essas coisas: é melhor irem se acostumando. Cada vez mais a ciência se presta a realizar os nossos mais secretos desejos. Difícil é saber o que realmente se deseja.

Novidades sobre o clitóris

Em 1996, um livro de um argentino virou um *best-seller* no mundo inteiro, graças à curiosidade despertada pelo tema: a descoberta do clitóris. O livro é *O anatomista*, de Frederico Andahazi, que conta as aventuras e desventuras de Mateo Colombo, um médico da Renascença, provável descobridor do clitóris. Mas espera aí! Como é que o clitóris, essa bênção da natureza, só foi descoberto no séc. XVI?

Na verdade, Colombo levou o crédito pela descoberta porque foi o primeiro a descrever esse pequeno grande órgão de maneira científica e acadêmica – ou vocês acham que ninguém sabia da sua existência? É claro que o clitóris já era íntimo de muita gente, muito antes do séc. XVI. Com certeza, a filósofa grega Filênis sabia direitinho o que era e onde se localizava o seu próprio clitóris e o clitóris da namorada. Afinal, ela ficou famosa por escrever uma espécie de kama-sutra lésbico – e isso quatro séculos antes de Cristo![14]

Mas a história oficial, que foi durante muito tempo escrita por homens, ignorou a existência de filósofas mulheres e dos seus clitóris proeminentes, preferindo referir-se às damas mais saidinhas e ousadas como portadoras de um furor uterino. Ora, quando é que vão entender que o útero é para carregar filhos e que é o clitóris o verdadeiro responsável pelo nosso prazer?

Freud contribuiu muito para que esse equívoco se prolongasse. Depois que ele formulou a teoria de que o orgasmo vaginal era

[14] LEÓN, Vicki. *Mulheres audaciosas da Antigüidade.*

mais maduro e completo do que o orgasmo clitoriano, as mulheres começaram a acreditar que eram frígidas ou imaturas. Mas o doutor Sigmund, na verdade, sabia muito pouco sobre o prazer da mulher. Essa idéia do orgasmo vaginal ser superior foi provavelmente fruto de sua miopia falocêntrica, que via a vagina como uma perfeita bainha para a sua espada.

Eu não o culpo – Freud foi muito valioso em vários aspectos, e um produto da sua época. Mas os tempos são outros. Recentemente, na Austrália, um grupo de anatomistas liderados pela dra. Helen O'Connell anunciou uma descoberta que, infelizmente, ficou relegada aos cantos de páginas dos jornais. Se vocês foram atentas o bastante, ficaram sabendo que esse grupo de pesquisadores, depois de dissecar vários corpos e estudar os genitais femininos minuciosamente, descobriu que o clitóris é muito maior do que parece.

Surpresas? Ou vocês, lá no fundo – literalmente –, já sabiam disso? Bem, pelo menos as coisas agora estão claramente descritas em relatórios científicos detalhados. Para começar, a parte visível do clitóris é apenas a ponta quente de um *iceberg*. Gigantescos Titanics que se cuidem: há muito clitóris ainda abaixo da superfície! Simplificando e resumindo: os cientistas australianos descobriram que o clitóris é formado por vários prolongamentos que se estendem para dentro do corpo, envolvendo a vagina e tocando partes da bexiga; seu formato é piramidal e mede por volta de doze centímetros, se contarmos desde a ponta – o clitóris visível – até a base de seus prolongamentos (as pernas – ou crus – e os bulbos vestibulares).[15]

Com essas revelações, cai por terra aquela balela de ponto G – que na verdade seria uma parte da superfície basal do clitóris, por isso a sua propalada ação miraculosa. E, para completar, a descoberta põe mais uma pá de cal no mito freudiano do orgasmo vaginal: o que ele chamava de gozo vaginal nada mais é do que o clitóris sendo estimulado por dentro. Dá até para entender porque o doutor Sigmund dizia que as mulheres tinham inveja do pênis, afinal, por que os homens invejariam o clitóris? Se a inveja é despertada pelos olhos, ninguém pode ter inveja daquilo que não vê.

---

[15] "The truth about women", artigo do *New scientist on line* de agosto de 1998. Na verdade, todos esses prolongamentos já eram conhecidos, mas não considerados como partes do clitóris, como propõe a dra. O'Connell.

Mas, graças aos esforços de mulheres e homens curiosos, imparciais e nada sexistas, uma nova história e uma nova anatomia estão sendo formuladas. Aquele monte de besteiras que alguns ainda insistem em propagar, de que a natureza da mulher é toda voltada para dentro e que a do homem é voltada para fora – uma analogia aos seus respectivos órgãos sexuais –, não me parece correta. Todos sabemos que mulheres têm falo e os homens, buraco.

Numa época em que as pessoas fazem tratamentos hormonais de várias naturezas, desde a suspensão da menstruação – a última coqueluche das mulheres de carreira – até tratamentos para mudança de sexo, fica parecendo meio idiota falar em termos de divisão de gêneros entre masculino e feminino. Está na hora de sermos menos gênero e mais humanos, para que o clitóris das meninas e o ânus dos rapazes recebam a atenção que merecem: verdadeiros e legítimos templos do prazer.

Nossa língua lesbianesa

A primeira vez em minha vida que ouvi a palavra "lésbica" foi no pátio da escola, aos dez anos de idade. A brincadeira era chamar alguma das meninas de "lésbica" e sair correndo dela, em pânico. Depois de brincar algumas vezes, perguntei para uma colega o que queria dizer "lésbica" e ela me respondeu que lésbica era que nem bicha, só que ao contrário, ou seja, era uma mulher que gostava de mulher.

Hoje em dia a palavra está bastante popularizada, até mesmo na mídia convencional: volta e meia jornais e tvs falam em "gays, lésbicas e simpatizantes", "encontro de gays, lésbicas e bissexuais" etc. Mas o que noto com freqüência é que, apesar de a palavra "lésbica" ter superado bastante a conotação pejorativa e estigmatizante dos meus jogos de infância, muitas mulheres homossexuais ainda resistem ao termo, evitando, quando se referem a si próprias, a palavra "lésbica".

É uma pena. Eu adoro a palavra desde que conheci a sua origem: a ilha de Lesbos, onde viveu a poeta lírica Safo alguns séculos antes de Cristo. Safo era famosíssima em seu tempo pelo seu talento poético e musical e depois ficou mais famosa ainda pelo amor que dedicava às suas alunas, que viviam em Lesbos. Além das palavras "lésbica" e "lesbiana", provavelmente o termo "safada" também teve sua origem nas artes sexuais e amorosas da poeta grega – que também era cantora, vejam só...

O léxico da sapataria é bastante rico e acredito que muitos dos termos que usamos para nos designar são provenientes da necessidade de codificar a linguagem para não expor tanto a nossa homossexualidade, principalmente quando mostrar-se gay era realmente um perigo. É o caso do termo "entendida", que provavelmente é um diminutivo para "entendida no assunto". Imagine-se num bar, perguntando para a sua amiga na mesa se aquela ali que acabou de entrar é "do ramo" ou "entendida" no assunto. Era provavelmente uma maneira de conversar livremente e em alto e bom som sobre um assunto considerado tabu.

Apesar de vivermos uma época em que os direitos dos homossexuais começam a ser garantidos, o uso de códigos foi e sempre será uma prática corriqueira para definir e diferenciar uma turma, além da diversão que isso pode proporcionar. Muitas mulheres ainda chamam umas às outras de "entendidas" e as que usam essa palavra caracterizam um grupo específico entre as lésbicas, talvez as mais antigas, mais caretas ou de um estrato social mais baixo. Já o termo "sapatão" sempre foi considerado um xingamento, algo pejorativo mesmo, ao referir-se às lésbicas mais masculinizadas. Mas como acontece com muitas palavras originalmente cunhadas para ofender, ela foi transformada pelas próprias lésbicas em algo mais simpático, como "sapata" e "sapa". Foi mais ou menos o que ocorreu com o termo *queer* – estranho, esquisito –, que, inicialmente sendo uma ofensa, foi completamente incorporado pelos movimentos gays na Inglaterra e nos Estados Unidos como definição para as pessoas cuja sexualidade não se encaixa nos padrões estreitos da "normalidade".

No começo dos anos de 1990 a mídia nova-iorquina lançou o *ligth lesbian chic* para designar as *lipstick lesbians* – lésbicas de batom – uma maneira de tornar as lésbicas mais palatáveis ao gosto da sociedade hetero-patriarcal. Mulheres hiperfemininas posando de lésbicas começaram a pipocar aqui e ali em peças publicitárias, editoriais de moda, revistas de comportamento e até um ensaio fotográfico da cantora pop Madonna ousou mostrá-la nua nos braços de uma estonteante Isabella Rosselini, e uma revista estampou na capa k.d. lang sendo barbeada por Cindy Crawford.

Aqui no Brasil, na mesma onda do *lesbian chic* floresceu uma cultura *clubber* trazendo um novo designativo para as lésbicas: bolachas. De origem um pouco incerta, talvez a palavra "bolacha" tenha sido usada pela primeira vez pelos nossos comparsas gays ao se referirem àquelas pessoas desprovidas de saliências ou protuberâncias na região púbica: o aspecto "*flat*" e chato da genitália feminina teria inspirado o apelido tão fofo e carinhoso. Desconhecendo em profundidade as características topográficas do órgão sexual feminino, as bibas deram a sua contribuição criativa ao dicionário sáfico, assim como inventaram "racha" para se referir às mulheres em geral e os termos de gosto duvidoso "ralar o coco" e "bater os bifes" como metáforas para o antigo tribadismo, o ato sexual entre duas mulheres (que na época do Brasil Colonial era conhecido como "roçadinho").

Uma coisa é certa: lésbicas já foram chamadas de tudo quanto é nome nesta vida e cada uma tem o seu termo predileto. Há ainda as que recusam um nome específico, achando que tudo isso não passa de um rótulo, quando a sexualidade humana é uma coisa tão fluida e mutante. Se antigamente chamar uma mulher de lésbica era uma ofensa pelo conteúdo preconceituoso existente na palavra, hoje em dia muitas mulheres não suportam a palavra "lésbica" por acharem que é apenas um rótulo aprisionante. Vá entender a natureza humana...

A preferida das bolachas

Ela tem um metro e oitenta de altura, cabelos pretos, olhos azuis, é brava, mal humorada às vezes e durona sempre. Xena, a princesa guerreira é, atualmente, a heroína televisiva mais amada pelas sapatas do mundo inteiro. Até a secretária de Estado americana, a todo-poderosa Madeleine Albright, declarou sua adoração a Xena em visita a Nova Zelândia – país natal da atriz Lucy Lawless – em 1998.

Mas o que Xena tem que atrai tantas bolachas no mundo inteiro? Para entender, é preciso primeiro introduzir a história da personagem. Xena vive em plena Grécia antiga, sob o domínio dos deuses olímpicos, e a sua tragédia começou quando a aldeia em que vivia foi atacada por um guerreiro bárbaro e cruel. Depois disso, jurou vingança e tornou-se, ela mesma, uma guerreira sanguinária. Vingou o irmão morto e, no afã de expandir os seus territórios e aumentar o seu poder, terminou ficando igual aos bandidos que a atacaram quando jovem. A partir de então, começa uma carreira de sucesso como "a destruidora de nações".

Um belo dia, porém, Xena encontra Hércules, que a convence a mudar de vida e a lutar pelo bem. É aí que começa a história de redenção da princesa guerreira que, numa tentativa de se livrar da culpa por seu passado assassino, passa a defender os fracos e os oprimidos. Mas a jornada torna-se muito solitária e Xena não encontra forças para lutar pelo bem. Um dia, quando está prestes a desistir da vida de guerreira e larga suas armas no meio do mato, Xena depara com um grupo de bárbaros que acabara de aprisionar camponeses para vendê-los como escravos. Xena recupera então as suas armas e luta para libertar aquele grupo de camponeses – nem é preciso dizer que ela resolve tudo com meia dúzia de golpes bem aplicados. Entre os camponeses libertados por Xena está a garota Gabrielle, uma contadora de histórias e pacifista por natureza, que resolve seguir Xena em suas jornadas. A princípio, a princesa guerreira reluta, mas acaba aceitando Gabrielle como companheira de aventuras – a garota vai ajudar Xena em seu caminho de redenção do mal. Gabrielle, no fundo, representa a inocência perdida de Xena (a mulher que foi à luta e se masculinizou) e funciona como um lembrete para a guerreira não matar e praticar o bem. É nesse ponto que começa a verdadeira saga contada no seriado, a história de Xena, a princesa guerreira, e sua acompanhante Gabrielle.

Apesar do relacionamento das duas personagens não ser explicitamente lésbico, tanto os produtores da série como as próprias atrizes que interpretam a dupla afirmam que o aspecto principal da história é o amor entre as duas mulheres. Isso ficou tão claro que, depois que os primeiros episódios foram exibidos nos Estados Unidos, em 1995, as lésbicas nova-iorquinas começaram a armar um estardalhaço via internet em torno do lesbianismo sugerido na série. Lucy Lawless, a atriz neo-zelandeza que interpreta Xena, reconhece: "As lésbicas sempre foram as fãs mais fervorosas porque nós fazemos duas mulheres que empreendem uma jornada juntas, por conta própria, sem precisar da ajuda de nenhum homem. Aí elas começaram esse bochicho todo – e que eu adoro".[16]

O caso é que os *sites* sobre Xena começaram a proliferar na internet, bares lésbicos resolveram promover noites especiais em que são exibidos vídeos do seriado, e isso despertou a atenção dos produtores. As próprias atrizes confessam que, de vez em quando, colocam uns cacos e brincam com a possibilidade de Xena e Gabrielle serem amantes. A produtora da série, Liz Friedman, ela mesma lésbica assumidíssima, disse em entrevista à revista gay *The advocate* que, por ser um seriado juvenil de aventuras, eles não querem deixar nada explícito. Mas também diz que ninguém, entre atrizes e produtores, está interessado em dizer que as duas são heterossexuais. Mesmo porque na época em que se passa a história não existia esse tipo de definição e a sexualidade das pessoas era bem mais fluida.

[16] *Mr.Showbiz*, abril, 1999.

Alguns episódios, no entanto, beiram o explícito. No episódio "*The quest*", Xena, que está momentaneamente morta, fala com Gabrielle durante uma aparição e diz que vai voltar de Tártaros para ficar com ela. O encontro virtual-romântico termina com Xena beijando a boca de Gabrielle. Na comédia *A day in the life*, o dia-a-dia da dupla é retratado como se elas fossem um casal casado há muito tempo, com todas as delícias e implicâncias que uma parceria de longa data pode oferecer. Logo na primeira seqüência, elas são acordadas por uma trupe de ladrões e Xena, num ataque de criatividade, usa as panelas para lutar. Terminada a pancadaria, Gabrielle pega a frigideira, amassada, e pergunta para Xena: "Tá certo, mas agora como é que eu vou cozinhar?" – nem é preciso dizer que Gabrielle é a mulher do casal...

Graças ao forte subtexto lésbico a série tornou-se, definitivamente, um *cult* entre as sapatas. Na Austrália, durante o Mardi Gras (o carnaval deles), já é tradicional o desfile de um bloco de 200 sapatas vestidas de Xena. Até a cantora kd lang já manifestou publicamente a sua vontade de fazer uma participação especial, como atriz, de preferência num futuro episódio em que Xena encontraria Safo. Esse episódio – que é uma sugestão das telespectadoras bolachas – está sendo estudado pelos produtores, com chances de, algum dia, quem sabe, ser realizado. Inclusive a própria Lucy Lawless – que, apesar de hetero, é simpatizante de primeira hora – exige fazer também o papel de Safo, que se apaixonaria por Gabrielle.

O fato é que depois que a série *Ellen*[17] foi liquidada, por ser explícita demais, a tv tenta encontrar maneiras mais indiretas de abordar o assunto. Se Xena e Gabrielle fazem sexo ou não, isso parece não importar: os produtores da série preferem deixar as coisas no ar. O importante é que o homoerotismo transborda o tempo inteiro para fora da telinha, assim como as pernas lindas e quilométricas de Lucy Lawless.

[17] Série cômica exibida nos Estados Unidos e durante algum tempo no Brasil, em que tanto a protagonista como a personagem saíram do armário e assumiram a sua homossexualidade. A série fez sucesso logo após este *outing* duplo, mas depois de um ano de exibição como "programa assumidamente lésbico", foi encerrado de maneira melancólica por falta de patrocinadores, segundo sua protagonista, Ellen DeGeneres.

Fundamentalismo e homofobia

Em novembro de 1998 o filme *Fire* (*Fogo e desejo*) estreou na Índia provocando polêmica. Na primeira semana, tudo correu às mil maravilhas e o filme da indiana Deepa Metha lotou cinemas em Bombaim, Calcutá e Nova Delhi. Mas não durou muito. Alguns dias depois, manifestantes do partido ultraconservador fundamentalista Shiv Sena depredaram e incendiaram três salas em que a película era exibida. Motivo: o filme mostrava a história de amor entre duas mulheres, o que, segundo os manifestantes, representa um atentado à cultura e aos preceitos morais hindus. Uma curiosidade: nenhum deles havia assistido ao filme.

Vários cinemas, temendo confusões com os membros do Shiv Sena, retiraram o filme de cartaz e outros acionaram a polícia para garantir o direito de exibir a película. A questão foi parar no Parlamento Indiano, não para discutir a liberdade de expressão (inclusive o Ministro da Cultura pediu ao departamento de censura que reconsiderasse a liberação), mas para garantir a integridade física dos indivíduos e da propriedade privada, no caso, os cinemas. O resultado é que, fazendo muito barulho, a horda furiosa dos fundamentalistas acaba atingindo seus objetivos e assustando o público, que já estava transformando o filme num sucesso de bilheteria. Mas além de pôr fogo nos cinemas, os radicais do Shiv Sena também diziam que o lesbianismo era uma doença importada do Ocidente e não fazia parte da cultura hindu. Mas será que é verdade?

Graças aos estudos de algumas feministas locais, esse é um mito que pode cair por terra. Em seu livro *Sakhiyani*, Giti Thadani, fundadora de um dos únicos grupos lésbicos da Índia, relata como o amor entre as mulheres foi apagado da cultura hindu através dos tempos. Foi provavelmente na época da dominação muçulmana que o processo de misoginia cultural e religiosa teve início, restringindo o poder e a expressão das deidades femininas. E, naturalmente, seguiu-se o aprisionamento da sexualidade feminina e o enfraquecimento do papel da mulher na sociedade hindu.

Thadani encontrou inúmeras obras de arte, estátuas e pinturas que foram deturpadas, maquiadas e disfarçadas para esconder o seu caráter lésbico. Num templo onde havia a imagem de duas mulheres se beijando na boca, alguém providenciou um pinto para uma delas. É lamentável que, numa cultura que antes glorificava a fluidez entre os gêneros, repleta de deidades andróginas, o hetero-patriarcado tenha se instalado tão pesada e inabalavelmente. Na Índia, hoje em dia, é muito difícil uma mulher viver independentemente de um homem. As lésbicas têm que optar por um casamento heterossexual de fachada e as pouquíssimas que ousam assumir acabam vivendo no exílio.

Ironicamente, uma lenda hindu muito antiga parece retratar perfeitamente a realidade atual das lésbicas na Índia. A história de Teeja e Beeja[18]tem início quando dois ricos proprietários de terra decidem unir suas fortunas através do casamento de seus filhos. O problema é que nasceram duas garotinhas e o pai de uma delas, temendo o fracasso de uma união tão lucrativa para ambas as famílias, resolveu fazer segredo do sexo da sua recém-nascida. Fez vista grossa e criou a filha como se fosse um homem. O tempo passou e ninguém jamais desconfiou de que Beeja era uma mulher. Obviamente, na lua-de-mel Teeja descobriu tudo. Mas, ao invés de ficar arrasada, ela decidiu que as duas deveriam se assumir como mulheres e amantes perante a aldeia e convenceu Beeja a vestir-se como mulher, pela primeira vez em sua vida.

Os aldeões, no entanto, reagiram pessimamente à idéia e expulsaram as garotas da vila, que passaram a viajar sem rumo e sem destino, até que encontraram um poço onde moravam 128 fantasmas. Um deles, surpreso pelas garotas não terem se assustado, perguntou de onde vinha tanta coragem. Beeja então respondeu que elas temiam mais os vivos que os mortos. O fantasma se afeiçoou às

[18] A história é contada no livro *Sakhiyani.*

meninas e elas passaram a viver com eles. Um dia, porém, elas amanheceram com saudades de casa e Beeja pediu que o fantasma a transformasse num homem para que elas pudessem voltar à sua aldeia natal, como um casal normal. O fantasma atendeu ao pedido, as duas regressaram à vila e foram aceitas por seus conterrâneos.

Mas Beeja começou a comportar-se de maneira estranha: tornou-se um homem violento e começou a bater em Teeja. Até que um dia, depois de uma briga, Beeja espancou tanto a sua mulher que esta caiu desfalecida. Chorando, e muito arrependida, Beeja começou a se lembrar da pureza do amor que elas tinham antes, quando as duas eram mulheres. Esse sentimento foi tão intenso que Beeja se transformou novamente em mulher, Teeja recuperou a consciência e as duas caíram uma nos braços da outra, onde, dizem, permanecem até hoje. Cheias de fogo e desejo.

Atletas de Safo, com muita honra

Uma garota de dezenove anos começou a chamar atenção do público durante o Aberto da Austrália de 1999, um dos quatro principais torneios de tênis do mundo. O nome dela é Amelie Mauresmo, atleta francesa, uma novata que durante a competição foi eliminando, uma a uma, todas as suas adversárias, chegando à sua primeira final importante graças ao seu jogo agressivo e à sua direita forte. Mas não foi só o estilo de jogo da menina que chamou a atenção da mídia, nem o fato de uma novata chegar à uma final de Grand Slam.

Tudo começou depois de uma entrevista coletiva para a imprensa, dessas que os atletas dão após os jogos, em que Mauresmo pediu encarecidamente aos repórteres que não se referissem aquela garota que ficava na arquibancada torcendo por ela como sua "amiga". Amelie, depois de revelar que era lésbica, disse que seria mais apropriado referir-se àquela moça como sendo a sua "namorada". Se ela fosse uma cantora talvez não provocasse tanta surpresa, mas no meio esportivo essa é uma atitude rara e ousada. Mas Amelie é jovem e vive numa época em que orgulho e visibilidade são palavras-chave para quem quer viver sua homossexualidade de maneira descomplicada. O modo como a tenista francesa tratou o assunto durante todo o torneio talvez tenha surpreendido mais a mídia do que a sua própria orientação sexual.

Nas entrevistas que antecederam a grande final, no entanto, as coisas começaram a pegar fogo. Enquanto Amelie dizia que iria descansar e relaxar dois dias com a namorada antes da finalíssima, a tenista Lindsay Davenport – que acabara de perder a semifinal para Mauresmo – justificava sua derrota aos repórteres dizendo que a francesa era muito mais forte que as outras e que "jogava feito um homem". Na sala ao lado, a tenista suíça Martina Hingis – cujo nome foi dado pela mãe em homenagem a Martina Navratilova – revelava aos repórteres qual seria a sua estratégia para a final contra a jovem revelação francesa: disse que iria jogar como sempre jogou, mas que precisaria de mais atenção para compensar a força de Mauresmo, já que ela era "meio homem".

Hingis venceu o torneio, graças à sua maior experiência, ao seu talento e tênis brilhante. Amelie fez um jogo bonito, agressivo, à altura de uma final de Grand Slam. O mesmo não se pode dizer das declarações de Hingis e Davenport: as duas foram obrigadas pela ATP Associação de Tenistas Profissionais a pedir desculpas públicas para Mauresmo pelas insinuações que fizeram sobre ela ser "meio homem". Davenport alegou que, quando disse que a francesa jogava "feito um homem", estava na verdade fazendo um elogio. Já Hingis, antipática como é de costume, protestou que não havia motivo para se retratar, que não havia dito nada de errado, mas enfim, desculpou-se por ter deixado escapar que Mauresmo era "meio homem".

Todo esse episódio ilustra perfeitamente um equívoco básico, decorrente da falta de informação que as pessoas têm sobre homossexualidade: que lésbicas são masculinizadas, são meio homens. E, no esporte, isso parece ser um problema muito maior, pois quando uma tenista afirma que a adversária é mais forte por ser lésbica, insinua – leviana e erroneamente – que ela poderia ter uma taxa excessiva de hormônios masculinos, o que tornaria a competição injusta.

Embora a atitude da ATP durante o Aberto da Austrália daquele ano tenha sido impecável ao sugerir que Davenport e Hingis pedissem desculpas à francesa, as coisas nem sempre foram assim. Na metade dos anos de 1980, a tenista Hana Mandilokova sugeriu publicamente que Martina Navratilova – que acabara de revelar sua homossexualidade – deveria jogar no torneio masculino, pois era muito mais forte que as outras tenistas. Alguns anos mais tarde, Margaret Court, campeã veterana e membro da Associação de Mulheres Tenistas, declarou que Navratilova estava dando um péssimo exemplo para as atletas mais jovens depois que ela, ao ganhar um torneio, correu para abraçar e beijar a sua namorada. No mesmo ano, Gabriela Sabatini e Jeniffer Capriati – aquela que mais tarde foi apanhada com maconha – deram entrevistas dizendo que tinham medo de ficar nuas no vestiário na frente de tantas tenistas sapatonas. Ora, mais uma vez temos um belo exemplo de outro equívoco recorrente quando se refere às lésbicas: elas são verdadeiros predadores sexuais que podem atacar moças inofensivas nos vestiários! Bobagem.

O problema é que o esporte feminino sempre fugiu da imagem da mulher-macho como o diabo foge da cruz. Até mesmo atletas lésbicas fazem questão de parecer hiperfemininas quando estão fora das quadras, como uma reação exagerada à homofobia que há no meio esportivo. É uma pena. Pelo menos agora elas podem seguir o exemplo de Mauresmo, uma tenista de talento, uma perfeita amazona que parece não ter medo de ser feliz, de ser lésbica nem de ser forte.

Deus abençoe os andróginos

E então Deus criou o homem. E, se dele foi tirada uma costela para fazer a mulher, logicamente esse primeiro homem possuía dentro de si ambos os sexos: era um andrógino, feito à imagem e semelhança do seu Criador. E então os sexos divididos cometeram o Pecado Original.

Platão dizia que no início existiram o macho, a fêmea e o andrógino. Quando Zeus percebeu que a humanidade estava arrogantemente ameaçando seu poder divino, resolveu cortá-los ao meio. O andrógino, dividido, deu origem ao homem e à mulher, que passaram a procurar suas metades perdidas – esses eram heterossexuais. Da mesma maneira, o homem cortado ao meio dividiu-se em dois homens que também passaram a procurar suas metades masculinas, a mesma coisa acontecendo com as mulheres divididas – esses eram os homossexuais.[19]

A androginia parece estar presente em todas as cosmogonias, explicando a origem do mundo e da humanidade. O ser que, dentro de si, reúne duas polaridades opostas, simboliza origem e também um anseio pela totalidade, o desejo de voltar a ser completo.

Os alquimistas sempre souberam da importância do Andrógino Universal, que era como eles chamavam o mercúrio, único elemento capaz de reagir com todos os outros metais e substâncias. O seu caráter ambíguo, a sua facilidade para apresentar-se em vários estados – sólido ou líquido – e a sua propriedade de dissolver e coagu-

[19] PLATÃO. *O banquete.*

lar faziam dele um elemento de suprema importância para a descoberta do Ouro Alquímico. Jung, quando estudou a Alquimia, percebeu nela processos análogos aos que ocorrem na psique humana e, analogicamente, atribuiu ao andrógino uma função vital no processo de individuação.[20] A integração do masculino e do feminino dentro do próprio indivíduo passou então a ser apontada como sinal de saúde, enquanto a divisão ou a supressão de um deles começou a ser vista como desequilíbrio e doença.

Embora Jung se referisse ao masculino e ao feminino de maneira simbólica, o sexólogo Edward Carpenter, algumas décadas antes de Jung, via nos homossexuais a realização dessa integração entre os gêneros. Carpenter acreditava que os homossexuais eram a lembrança viva do período que antecedeu a divisão dos sexos: eles eram os novos andróginos. Ele elevou os homossexuais a uma instância até divina e dizia que eram a ponte entre os dois sexos, uma janela através da qual o homem poderia compreender a mulher e vice-versa. O terceiro sexo seria, então, de grande ajuda para a melhor convivência entre homens e mulheres e não uma degeneração da natureza. Pelo contrário: seriam imprescindíveis para o seu equilíbrio.[21]

A androginia despertou a paixão de artistas inquietos, principalmente duas mulheres escritoras, que sempre buscaram libertar-se de dogmas sexistas. Djuna Barnes também via no homossexual uma representação nostálgica de reunião e totalidade. No livro *Nightwood*, perguntava: "O que é esse amor que nós temos pelo invertido, o rapaz ou a garota? Eram deles que falavam todos os romances que nós já lemos. A garota perdida, o que é ela senão o príncipe encontrado? O príncipe no cavalo branco que todos nós sempre estivemos buscando. E o rapaz bonito que é uma garota, não é senão o príncipe-princesa em um bordado – nem um é a metade do outro – a pintura em um leque! Nós os amamos por essa razão".[22]

Virginia Woolf, a outra escritora, criou o seu personagem Orlando como sendo metade do tempo homem e metade do tempo mulher. O livro *Orlando*, concebido como uma biografia, narra a transformação do personagem que intriga e provoca pela sua ambi-

[20] JUNG, Carls Gustav. *Aion: estudos sobre o simbolismo do si-mesmo.*
[21] CARPENTER, Edward. *The intermediate sex.*
[22] Trecho de *Nightwood* traduzido por mim. (N.A.)

güidade sexual: "Se compararmos o retrato de Orlando homem com o de Orlando mulher, veremos que, embora sejam ambos, indubitavelmente, uma e a mesma pessoa, há certas mudanças. O homem tem a mão livre para agarrar a espada; a mulher deve usá-la para impedir que as sedas escorreguem dos seus ombros. O homem encara o mundo de frente como se ele fosse feito para o seu uso e de acordo com o seu gosto. A mulher lança-lhe um olhar de esguelha, cheio de sutileza, e até de desconforto. Se usassem as mesmas roupas, é possível que a sua maneira de olhar tivesse vindo a ser a mesma."[23] Nesse verdadeiro manifesto anti-sexista e pró-androginia é revelada a visão de como seria um mundo sem essa ruptura abissal entre os gêneros. E quando diz que "são as roupas que nos usam e não nós que usamos as roupas", ela deixa claro que o legado cultural sexista – a roupa – acaba por aprisionar o indivíduo que, originalmente, é andrógino como Orlando, como o primeiro Adão e como aquele de Platão.

A androginia então parece estar mais perto da pureza e de Deus que manifestações cindidas de egos agarrados à idéia de que ser só homem basta. Ou ser só mulher basta. Mas cuidado, a aparência não é tudo: a verdadeira androginia está na alma e no espírito. Deus abençoe os andróginos, pois é deles o Reino dos Céus!

[23] *Orlando*, em tradução de Cecília Meireles.

Quem tem medo de Virginia Woolf?

Em 1928, Virginia Woolf escreveu, em seu primeiro ensaio feminista, *Um teto todo seu*, que os excluídos e marginalizados são os mais credenciados e capacitados para fazer a crítica da sociedade. Se por um lado são excluídos, por outro essa posição "de fora" permite a essas pessoas enxergarem as lacunas e os defeitos dessa sociedade. Hoje em dia, podemos enumerar vários grupos que são sistematicamente excluídos: pobres, negros, índios, mulheres (pois ainda ganham 60% do salário de um homem na mesma função), drogados, loucos, idosos, deficientes físicos e homossexuais, entre outros. Mas será que Woolf tinha razão? Será que só por ser excluído um homossexual, por exemplo, é dotado automaticamente de uma visão crítica em relação à sociedade?

Muitas pessoas acreditam que estar à margem, viver no submundo e fazer parte da legião dos excluídos é uma bênção. Afinal, quem quer pertencer a uma sociedade hipócrita, doente, careta e sem graça? Eles se satisfazem com a vida no submundo e se julgam os verdadeiros transgressores, a perfeita personificação de tudo aquilo que a sociedade careta rejeita, o que continua existindo a despeito de todas as tentativas do mundo de escondê-los, de eliminá-los e varrê-los para debaixo do tapete.

Outros, no entanto, se recusam a aceitar essa condição de excluídos e lutam para se integrar à sociedade – como os ativistas, no caso dos homossexuais, que procuram batalhar por direitos civis de gays e lésbicas. Diferentemente do grupo anterior, que romantiza sua exclusão, esse grupo não se conforma com a situação de ter que viver à margem e considera a verdadeira transgressão discutir com a sociedade e exigir sua inclusão. Então eu pergunto: qual desses grupos está realmente transgredindo? Os que fazem questão de permanecer à margem ou os que não se conformam com isso?

Há uma nova corrente de pensamento dentro da comunidade gay (principalmente nos países onde os direitos básicos dos homossexuais já foram assegurados) que não vê vantagens em pertencer a essa sociedade hipócrita, moralista e careta. Eles acham que todo esse processo de "normalização" de gays e lésbicas acaba nos tirando o poder de estar à margem e pregam a volta ao armário, ao gueto e à sombra. Eles acusam os ativistas de serem caretas e de quererem a integração com uma sociedade que é doente. Mas será que simplesmente o ato de colocar-se fora da sociedade é suficientemente transgressor?

Quando Virginia Woolf expõe sua tese de que os *outcasts* são os verdadeiros críticos da sociedade, deixando claro que a transgressão está tanto no fato de serem excluídos como também no ato de questionarem essa exclusão através da crítica. Ou seja, de nada adianta estar fora da sociedade se não estabelecemos com ela uma relação crítica. E, para criticar a sociedade, é preciso relacionar-se com ela, mesmo que numa posição de antagonismo. Dessa maneira, viver à margem, simplesmente, não tem nada de revolucionário. Isso nos leva a pensar que a conformação com a vida no submundo só é transgressora na medida em que revela e expõe as feridas e falhas da sociedade pseudomoderna e pseudodemocrática. Mas será que é suficiente apenas expor e deixar claros os defeitos e a hipocrisia de uma sociedade cindida? Sem dúvida, é um primeiro passo. Mas o que fazer depois?

Em seu segundo ensaio feminista, *Três guinéus*, a mesma Virginia Woolf escreve que a emancipação feminina de nada valeria se as mulheres continuassem a repetir os mesmos padrões masculinos e patriarcais vigentes. Woolf achava que era preciso pensar numa nova maneira de atuar na sociedade: se fosse para as mulheres declararem guerras, não valeria a pena; se fosse preciso pisar em várias cabeças para entrar num mercado de trabalho competitivo, não valeria a pena; se fosse para continuar construindo uma sociedade que excluísse milhares de pessoas, não valeria a pena.

É essa a chave para entender esse conflito entre ficar de fora ou integrar-se à sociedade. Só vale a pena nos integrarmos se o fizermos no sentido de interferir e mudar essa mesma sociedade. Precisamos aproveitar o fato de estarmos de fora, de termos uma visão crítica para apontar alguns caminhos que libertem homens e mulheres dos grilhões do falso moralismo. Nesse sentido, como homossexuais, o nosso papel revolucionário é mostrar como são fluidas a sexualidade e as fronteiras entre os gêneros masculino e feminino. Se hoje em dia um *pit-boy* lutador de jiu-jitsu é capaz de matar quem o chame de boiola, quem sabe no futuro, numa nova sociedade, esse garoto não sinta mais a sua virilidade ameaçada quando o chamarem de bicha. Pelo contrário, ele poderá até achar que é um elogio...

Eu sou espada!

O ano é 1690 e estamos em Marselha, França. A praça está cheia para assistir a um duelo. Dois homens lutam com as suas espadas e as pessoas ao redor fazem apostas, esperando para ver quem vai vencer. Num golpe surpreendente, um deles acaba levando o outro ao chão. O povo ao redor se admira e em coro pede que ele mate o seu oponente. Mas, em vez de matar, o vencedor vira-se para o público, joga a espada no chão, arranca a blusa fora e mostra os seios fartos. O público delira.

Era assim que Mademoiselle Maupin fazia suas exibições de espada. Vestida de homem, habilidosa no manejo das armas brancas, ela foi a mais famosa *drag king* da corte de Luís XIV. Dizem que durante um baile oficial do rei, no salão principal do palácio, Maupin se engraçou com uma das mais cobiçadas damas da noite. Não só cortejou a moça como tirou-a para dançar e depois tascou-lhe um beijo na boca, para todo mundo ver. Não deu outra: três rapazes, sentindo-se totalmente ultrajados e ofendidos, chamaram Mademoiselle Maupin para um duelo nos jardins do palácio. Se ela era tão macha para beijar uma outra dama no meio do baile, teria que provar sua macheza duelando com três de uma vez.

Pobres diabos... Maupin deu cabo dos três frangotes e voltou para o baile como se nada tivesse acontecido. O burburinho no salão, porém, crescia e todos começaram a comentar que Maupin seria presa no dia seguinte, pois o rei havia proibido duelos na corte. Maupin, precavida, retirou-se do baile e foi para casa. No dia seguinte, de manhã, partiria de Paris e ficaria longe até as coisas se acalmarem. Mas não foi preciso. Logo que acordou, um mensageiro do rei bateu à sua porta com uma carta do soberano lembrando que as leis da França eram somente para os homens – como ela era mulher, essas leis não lhe diziam respeito e Maupin poderia duelar o quanto e com quem quisesse. Parece que ser a *drag* favorita do rei tem lá suas vantagens...

A mesma sorte não teve Joana D'Arc, que, embora também favorita, teve seu rei destronado... Joana era uma louca idealista que alegava ter ouvido as vozes de Santa Catarina e Santa Margarida, que a incumbiram de uma missão dificílima: devolver a Carlos VII o trono da França usurpado pelos ingleses. Para que pudesse lutar, Joana aprendeu a manejar a espada. Para que passasse incólume enquanto viajava com o seu pequeno exército, ela começou a vestir-se de homem. E, graças ao seu disfarce, ninguém ousava aproximar-se dela com intenções escusas. Joana, que de tão intocável recebeu o epíteto *La pucelle* (A donzela), era uma figura assombrosa em cima de seu cavalo, carregando um estandarte, vestindo armadura dos pés ao pescoço, à frente do seu exército, gritando por Deus, pelo rei e pela França. Não era de admirar que nenhum homem ousasse se aproximar daquela mulher com ares de santa que matava os inimigos impiedosamente – mas é verdade que sempre rezava por suas almas antes e chorava sobre os seus corpos depois...

Quando Joana foi capturada e encarcerada, quiseram condená-la de qualquer jeito: se não fosse por seus crimes de guerra, pelo menos por heresia. Concluíram que seria melhor levá-la à fogueira como herege, pois assim acabavam também com a idolatria que já começava a se formar ao redor da Donzela de Orleans. Tentaram então provar que as vozes que ela ouvia eram na verdade vozes do demônio – não conseguiram. Tentaram ainda provar que Joana não era mais virgem, para assim desmascarar a sua aura santificada – também não conseguiram. Até que resolveram obrigar Joana a vestir-se novamente com roupas femininas – e então ela se recusou, dizendo que foram as vozes que ordenaram que ela se vestisse de homem. Aí foi demais para a corte e Joana foi condenada à morte na fogueira. Quem mandou ser *drag*? Pelo menos depois virou santa...

Maupin e Joana foram apenas duas das muitas mulheres que ousaram ganhar a vida – ou a alma – pela espada. É preciso ser muito fêmea para ser macho. É por isso que digo: eu sou mulher, mas também sou espada!!!

O jogo do contente

Ao acordar de manhã cedinho, reze dez Ave-Marias, dez Pais-Nossos e agradeça não ter nascido mulher num país islâmico. Ou melhor: agradeça de joelhos, sobre grãos de milho, não ter nascido lésbica num país muçulmano. Depois, tome o café da manhã e, se faltar o pãozinho francês, lembre-se da frase célebre de Maria Antonieta e vá à confeitaria mais próxima pedir brioches. Ao chegar à confeitaria, se faltar dinheiro para os brioches, lembre-se de que dinheiro não é tudo e, se isso não convencer, de que Antonieta foi para a guilhotina não por ser bolacha, mas por ser a esposa de um rei deposto.

Quando sair para o trabalho e estiver esperando a condução, pense nos séculos e séculos em que as mulheres eram obrigadas a ficar em casa cuidando do marido e dos filhos e o único trabalho que as dignificava era o trabalho de parto. Aposto que você vai se sentir melhor. Depois, quando estiver dentro daquele ônibus entupido de gente, perguntando por que nenhum cavalheiro se levanta para lhe oferecer um lugar no banco, lembre-se de que as prostitutas fazem de tudo se pagam – mas não beijam na boca.

Chegando ao serviço, não se esqueça de plantar um sorriso no rosto; afinal, não são todos os empregadores que contratam uma sapata assumida como você. Tá certo que seu emprego não é a oitava maravilha do mundo, mas pense nas dezenas de praticantes do roçadinho que foram condenadas ao degredo pela Inquisição Portuguesa na Bahia do séc. XVII. Pobre da costureira Felipa de Souza que, além do degredo, foi açoitada em praça pública – e multada em 900 contos de réis – só porque apreciava um amasso com a vizinha, por cima do muro...

Mas isso é passado e você deve se contentar em não fazer parte da imensa massa de desempregados que engordam as estatísticas brasileiras a cada ano. Depois, pense que há muito tempo nos Estados Unidos, um sujeito deu uma brilhante idéia para acabar com o desemprego. Para ele, a solução era mandar as mulheres de volta ao trabalho doméstico – assim, as vagas deixadas por elas estariam disponíveis para milhares de homens desempregados. Ainda bem que não colou.

Saindo do escritório, vá até aquele bar de entendidas que você costuma freqüentar na *happy hour* e dê três batidas na madeira, que é para se livrar de vez do espectro nefasto do delegado Richetti. Era ele que nos anos de 1970 passava de camburão por todos os bares lésbicos de São Paulo levando um punhado de sapatas para fazer serão na delegacia – sem motivo, sem mandato e sem a menor educação.

Mas voltando ao bar: olhe ao redor, observe as mesas ao lado e agradeça pela enorme variedade de entendidas, sapas, sapatões, ladies, lés, lésbicas e bolachas que estão – aparentemente – à sua disposição. Agradeça principalmente o fato de você poder enxergá-las. Hoje em dia é bem mais fácil identificar uma Dama do Roçadinho, ao contrário de algumas décadas atrás, quando as lésbicas costumavam se disfarçar. Algumas se disfarçavam de advogadas, outras de professoras de Educação Física e outras, até, de esposas e donas-de-casa (estas chegavam ao requinte de apresentar um marido para a sociedade!). Tempos bicudos: os armários eram espaçosos, porém mais empoeirados.

Voltando ao presente, ainda naquele bar, ainda fazendo o jogo do contente: quando uma garota se aproximar da sua mesa e puxar uma conversa, seja gentil. Se ela não for lá muito bonita, lembre-se de que o que importa mesmo é a beleza interior e espere até ela mostrar o seu lado de dentro. Quando isso acontecer, vá com ela ao banheiro e agradeça aos céus por viver nesse mundo sexista que separa os toaletes femininos dos masculinos. Façam de tudo lá dentro, só evitem o barulho: pode pintar concorrência...

Se depois do amasso a sua parceira desaparecer para sempre, não se desespere: há muita mulher nesse mundo, graças ao bom Deus que inventou de tirar esse acepipe, essa delícia afrodisíaca, de uma mísera costela de Adão. Lembre-se também de que, se uma mulher tem o direito de vir, ela também tem o direito de ir, o que assegura uma livre circulação de bolachas pelo mundo, garantindo assim um fluxo constante de fêmeas sob os nossos narizes. Ou seja: o que arde, cura; o que aperta, segura; tudo o que sobe, desce; o que vai, vem; e o que não mata nos torna mais fortes.

E, para completar, quando você finalmente chegar em casa após esse longo dia, não reclame por estar sozinha e sem namorada. Pense nas milhares de sapatas casadas que estão loucas para dar uma puladinha de cerca e não o fazem por medo de levar um baita rolo de macarrão na cabeça. Como Einstein já disse, tudo é relativo. E se o seu pãozinho sempre cai no chão com a face da manteiga voltada para baixo, trate de oferecer as duas faces: passe a manteiga em ambos os lados...

Quem casa quer casa

A piada é antiga mas não perdeu a frescura: sabe o que uma lésbica leva para o segundo encontro? Um caminhão de mudanças. Sabe o que um gay leva para o segundo encontro? Que segundo encontro?

Não é novidade – principalmente para quem tem alguns quilômetros rodados de bolachice – que as meninas adoram um casamento. Os meninos, por sua vez, são famosos pela multiplicidade de parceiros e a rapidez dos encontros. Mas qual é a razão das meninas gostarem tanto de casar? Existe alguma explicação biológica ou as razões são puramente culturais? Afinal, mesmo entre as gerações pós-revolução sexual e pós-pílula, as garotas parecem sonhar ainda com o príncipe/princesa encantados.

As nossas avós e bisavós foram educadas para serem boas esposas e aprenderam que era dever da mulher zelar pela paz e harmonia dentro do casamento. As nossas mães, mesmo incentivadas a seguir uma carreira profissional, sempre sonharam com príncipes perfeitos e casamentos cor-de-rosa. E hoje, que nós somos as princesas da vez, aquele papo de príncipe e Cinderela ainda rola. Reparem que, quando uma família comum brasileira educa os filhos para o amor, ensina-se às garotas mil maneiras de segurar um homem, enquanto os garotos aprendem técnicas milenares de não se deixar prender por uma mulher. Ou seja, somos bombardeadas desde cedo – mesmo sendo lésbicas – com a idéia de que um dia iremos nos casar e é nosso dever lutar pela manutenção e longevidade do casamento.

Mas, mesmo no dia em que nos livrarmos dessa "herança" cultural, será que alguma coisa vai mudar? Será que, como fêmeas, somos biologicamente fadadas a relações estáveis e monogâmicas? Será que os nossos hormônios são os culpados de tudo isso? Pode ser – e pode não ser. Uma lésbica FTM (Fêmea Transformada em Macho) deu um depoimento sobre a ação dos hormônios: depois de tomar muita testosterona, ela percebeu que as mulheres, inclusive as lésbicas, começaram a se incomodar muito com as suas abordagens, achando-as agressivas demais. Com o passar do tempo, ela sacou que a testosterona havia transformado o seu desejo e o seu jeito de paquerar: ela estava a fim de transas mais rápidas, de sexo sem compromisso, e começou a sentir que era preciso trocar de parceiras mais vezes. A coisa se transformou de tal maneira que ela passou a transar só com gays.[24] Coisa de hormônio ou capricho da natureza humana? Quem pode dizer?[25]

De qualquer maneira, falo em termos gerais. É claro que há exceções, mas a regra está aí. E quando falamos de lésbicas, isto é, quando há duas mulheres envolvidas, a idéia de um casamento assume proporções gigantescas, transformando-se no centro gravitacional de um romance. É só olhar ao redor e lembrar aquela amiga que conheceu a menina pela internet e agora está casada com ela, ou a outra, que se mudou para Nova York só para juntar as escovas de dentes com aquela americana que ela resolveu não largar dessa vez. Ou ainda aquela outra amiga, saída de um longo casamento, mas que já se encanta com um novo amor e pensa na possibilidade de juntar de novo os trapinhos que, por sinal, ainda estão na casa da ex. Ou então podemos olhar para trás e lembrar de algumas bolachas tão casadoiras quanto as atuais. Só para ficar entre as literatas, boas de romance: Gertrude Stein e Alice B. Toklas foram casadas por 38 anos; a autora de *O poço da solidão*, Radclyffe Hall, e sua esposa, *lady* Una Troubridge, ficaram juntas por quase 30 anos, até que a morte as separasse; a escritora Marguerite Yourcenar permaneceu ao lado de Grace Frick por 42 anos e a musa Natalie Barney, apesar de borboletear à vontade (pois seu casamento era aberto), permaneceu por mais de 50 anos sendo a companheira da pintora Romaine Brooks.

[24] CAMERON, Loren. *Body alchemy: transexual portraits.*

[25] As seções de medicina e ciência dos jornais e revistas volta e meia publicam "estudos recentes" que atribuem à monogamia feminina ora causas culturais, ora causas biológicas. Parece que não se chegou ainda a um consenso.

Mas, voltando à velha questão, por que diabos nós lésbicas gostamos tanto de casar? Sinceramente, não sei responder. Por mais que tentasse achar razões culturais ou biológicas para esse comportamento tão característico, jamais cheguei a conclusão alguma. Até conheço rapazes gays que estão casados há muito tempo e outros que estão loucos para casar, assim como tenho algumas amigas – poucas – que dizem "casamento não é papo pra mim".

Acima de tudo, não pretendo fazer julgamento de valor: não acho que o casamento valha mais ou menos que relacionamentos sem compromisso. Mas confesso que o apelo do vestido branco, do buquê de flores e dos votos de "até que a morte nos separe" me comovem até a alma – é tão lindo ver um casal de mulheres caminhando juntas e felizes até o altar... Tolice? Sim, sou uma tola sentimental. Mesmo que o casamento não seja para sempre e seja eterno apenas enquanto dure, tudo bem. Eu sempre poderei me casar de novo, muitas vezes, não é mesmo?

Os dez mandamentos lesbianos

Estamos com um pé dentro do terceiro milênio, o Brasil comemorou 500 anos de descobrimento e nós, lésbicas, podemos festejar nossos quase 2500 anos de história. Se formos contar desde os poemas de Safo – os primeiros documentos atestando o amor entre mulheres – podemos sim fazer uma bela comemoração de mais de dois milênios de roçadinho.

Por ter fundado uma escola e não uma religião, Safo não deixou nenhuma Bíblia para nos orientar. É preciso lembrar, claro, que 99% de sua obra foi queimada pelo papa Gregório VII e, se ela deixou alguma espécie de Alcorão para nós, o livro transformou-se em cinzas.

Mas o importante é saber que conhecimento sempre pode ser adquirido, assimilado, transformado, transmitido, recuperado e recriado. Por isso, neste final de século, faço questão de deixar registrado aqui um pequeno decálogo, fruto de 2500 anos de práticas tribadistas: Os dez mandamentos lesbianos.

1. *Toda mulher é homossexual, mesmo que ela prove o contrário:* esse mandamento tem sua origem na primeira infância de toda garota. Quem já não chupou um peitinho? A mulher que se diz exclusivamente hetero não se lembra – ou não quer se lembrar – do período idílico que antecedeu a transição edipiana.

2. *Toda amiga pode se transformar em amante e toda amante pode se transformar em amiga:* a lei da física de Lavoisier, que diz que na natureza nada se cria, nada se perde e tudo se transforma, cai como uma luva nas relações lésbicas. Na verdade, as garotas nem

sabem dizer ao certo onde termina uma amizade e começa uma grande paixão.

3. *A amante da minha namorada será minha namorada um dia, assim como a namorada da minha melhor amiga:* as relações homossexuais oferecem essa maravilhosa possibilidade de superar o ciúme através do amor; afinal, você pode se apaixonar pela piranha que deu em cima da sua namorada. Esse mandamento deixa claro que nenhuma posição é fixa e ninguém nessa vida tem vaga de titular garantida.

4. *Se uma aventureira paquera a minha namorada, eu paquero a aventureira antes que ela possa se aventurar de fato com aquela que de fato é minha:* essa é uma das táticas mais antigas de contra-ataque, a preferida das bolachas mais precavidas. É como aquela lei do futebol – quem não faz, toma!

5. *Bolacha é tudo igual, só muda o endereço – e quando se apaixona, muda para o seu endereço:* uma adaptação do famoso ditado sobre as mães aplicado às namoradas (já que estas às vezes fazem questão de se parecer justamente com as nossas progenitoras).

6. *Calcinhas não são passíveis de exclusividade – você pode reclamar a posse da sua namorada, mas nunca da sua própria calcinha ou da calcinha dela:* aqui, temos um fenômeno que talvez só aconteça entre casais homossexuais e um ou outro casal hetero mais ousado. De qualquer modo, responda rápido: a calcinha que você está usando é sua, da sua namorada ou das duas?

7. *Todo lixo é reciclável – sua ex pode ser sempre reutilizada ou passada adiante:* a livre circulação de sapatas com farta experiência em relacionamentos anteriores é fundamental para a propagação do amor lésbico. E as ex-namoradas, além disso, podem ser a tábua de salvação em momentos de crise (ver mandamento 2).

8. *Mais vale a tua xoxota na tua mão que duas quaisquer te masturbando:* jamais venda barato o seu tesouro. Para valorizar o seu material, nada mais aconselhável do que praticar muito amor-próprio, inclusive muito amor-físico-sexual-próprio.

9. *Sempre faça nas outras aquilo que você gostaria que elas fizessem em você:* uma das leis mais deliciosas do nosso decálogo. Para as meninas que estão começando e que não sabem direito o que fazer na primeira transa, é só lembrar desse mandamento simples e precioso.

10. *Uma mulher – ame-a ou deixe-a, mas nunca ame-a e depois deixe-a:* a frase é de autoria da escritora lésbica Natalie Barney. Ela sabia o que dizia e amou várias dezenas de mulheres durante toda a sua vida e nunca quis largar nenhuma. Algumas foram embora por vontade própria, outras se transformaram em amigas (ver mandamento 2), mas as que ela teve que largar deram uma enorme dor de cabeça. É sabedoria que não se compra na esquina.

Portanto, garotas, tratem de decorar e passar à frente esses 10 mandamentos, que podem ajudar, orientar e, na pior das hipóteses, consolar nos momentos difíceis. E antes que algum carola de qualquer espécie me escreva, já vou dizendo que esse pequeno decálogo não pretende substituir nenhum livro sagrado, mesmo porque o assunto é saborosamente profano. São apenas dez tolos mandamentos sábios para nos guiar no caminho da safadeza. Amém.

A arte do disfarce – parte I

Na década de 1970, sob a ditadura militar, artistas e intelectuais brasileiros aprenderam vários artifícios para driblar a censura implacável. Chico Buarque – eterno perseguido – escreveu, sob o pseudônimo de Julinho da Adelaide, a canção "Acorda amor", em que o sujeito, com medo da polícia, chama pela ajuda dos ladrões. Era uma clara provocação à máquina repressora policial, mas disfarçada em uma letra muito bem-humorada.

No ano de 1997, nos Estados Unidos, a série *Ellen* começou a chamar a atenção quando a protagonista revelou ao público a sua homossexualidade. Junto com a revelação, vieram os altos índices de audiência. O interesse pela série aumentou e não só a personagem saiu do armário como também a atriz que a interpretava, Ellen DeGeneres. O episódio em que Ellen saiu do armário teve uma enorme repercussão: os valores das cotas publicitárias da série atingiram um recorde, o episódio contou com a participação de kd lang, Demi Moore, Ophrah Winfrey e Laura Dern e o Ibope de lá atingiu índices monumentais.

Apesar do alvoroço causado por alguns grupos religiosos, a ABC e a Disney – produtoras da série – ignoraram as ameaças de boicotes aos anunciantes e contrataram Ellen DeGeneres para mais um ano. A temporada que se seguiu ao *outing* de Ellen, e que contou com o auxílio e a supervisão do Glaad (grupo americano que luta contra a difamação de gays e lésbicas na mídia), mostrava a vida abertamente lésbica da personagem: bares, a primeira namorada, beijos na boca e dia seguinte, juntinhas na cama. Foi demais – a temporada nem sequer chegou ao final. Chastity Bono – filha da cantora e atriz Cher e presidente do Glaad na época – chegou a declarar que a série estava "gay demais" e que talvez por isso tenha provocado uma certa rejeição no público. A militância gay, por sua vez, ficou escandalizada com as declarações "hereges" de Chastity, que teve que se demitir do Glaad.

Na mesma época, aqui no Brasil, a imprensa divulgava notas sobre um casal de lésbicas que iria figurar na próxima novela das oito *Torre de Babel*. Antes mesmo de a novela estrear, as colunas de rumores televisivos já anunciavam que uma delas ia morrer e a outra teria um caso com a personagem de Glória Menezes, uma mulher mais velha e heterossexual. Junto com os rumores vieram as pesquisas apontando uma forte rejeição do público à possibilidade de uma senhora heterossexual se apaixonar por uma lésbica. Resultado: mal a novela começou, explodiram um shopping center para eliminar alguns personagens rejeitados, entre eles o casal de pombinhas.

Toda essa introdução é para chamar a atenção para uma série de aventuras juvenil exibida na tv a cabo. É a série mais lésbica de todos os tempos, apesar de não ser divulgada como tal. Assim, em silêncio e na surdina, como os truques que eram usados pelo pessoal sob a ditadura militar nos anos de 1970, *Xena, a princesa guerreira* é um marco na teledramaturgia lésbica em todo o mundo.

Para se apreciar o fenômeno é preciso esclarecer que a série está mais próxima de um filme B, com efeitos especiais de segunda categoria e lutas típicas de videogame. Não é nenhum *Seinfeld* ou coisa do gênero – é meio brega mesmo. Só vai gostar da série quem for apaixonado por quadrinhos, quem apreciar esforços televisivos para inverter papéis sexuais ou quem estiver interessado em ler nas entrelinhas subtextos lésbicos. As seqüências de luta são "excelentes" e os episódios tratam, de uma maneira geral, da relação quase arquetípica entre as duas protagonistas – a anti-heroína com um passado negro que encontra na doce e pura Gabrielle o seu complemento e razão de viver. Essa relação entre contrários fornece combustível para que os roteiristas da série explorem à exaustão a relação entre o bem e o mal, paz e guerra, amor e violência, sem desembocar numa visão maniqueísta – afinal, Xena, se não é totalmente má, também não é boazinha: quer conquistar a paz pela ponta da sua espada e, se preciso, usando de violência. Simbolicamente, poderíamos dizer que

Xena representa a mulher que vai à luta mas não perde a sua sensibilidade, representada aqui por Gabrielle. Unidas, elas são um todo – separadas, não conseguiriam viver.

Depois do sumiço da série *Ellen*, e não querendo repetir o mesmo erro, os produtores de *Xena* acabaram não optando pelo lesbianismo explícito e apostaram mais na ligação espiritual entre as duas personagens. Fiel ao público de bolachas, a série usa e abusa de insinuações e subtextos lésbicos e assim consegue sobreviver sem ser atormentada por boicotes religiosos[26] ou fuga de patrocinadores. É a arte do disfarce, sempre útil em tempos bicudos!

[26] Em 1998 a produtora da série foi processada por fundamentalistas hindus que acusavam o uso indevido de divindades sagradas. Segundo esses fundamentalistas, o episódio *The way* deveria ser proibido pois "mostrava Krishna ajudando Xena a salvar sua amante lésbica". O episódio foi proibido na Índia.

A arte do disfarce - parte II

Na coluna anterior eu recordei os artifícios usados pelos artistas e intelectuais brasileiros para driblar a censura durante os tenebrosos anos de1970 e os comparei com os truques usados pelos produtores da série *Xena, a princesa guerreira* para desviar a atenção dos moralistas do seu conteúdo implicitamente lésbico.

O uso de subtextos e insinuações lésbicas, como já disse anteriormente, começou a ser feito pelas duas atrizes quando souberam do sucesso da série junto às fãs bolachas. Logo no início da primeira temporada é possível reparar nos olhares trocados, abraços, juras de amor e fidelidade. Depois, foram os roteiristas que entraram na brincadeira. No primeiro episódio onde o uso de subtexto é intencional – "*Altered states*" – a primeira cena é uma panorâmica mostrando as roupas de Xena e Gabrielle espalhadas pelo mato e a voz em *off* da heroína dizendo para a companheira: "Vamos, Gabrielle, faça de novo, é tão bom...". Depois de pensar que elas podem estar transando, a câmera nos mostra as duas nuas, tomando um banho num lago, e percebemos que Xena na verdade está ensinando Gabrielle a pegar peixes com as mãos – aliás, peixes são usados constantemente na série como uma metáfora lésbica.

No episódio *"Is there a doctor in the house?"*, uma paródia de *Plantão Médico*, Xena mostra as suas habilidades de curandeira tratando de feridos em uma guerra entre duas cidades-estado gregas. É nesse episódio que temos o primeiro beijo na boca entre Xena e a sua companheira, que só foi possível graças a um truque mais velho do que a minha vovozinha: Gabrielle, ferida, está quase morrendo e a

Xena só resta fazer uma série de tentativas de respiração boca-a-boca, para delírio das bolachas. São mais ou menos uns dez ou doze beijos na boca e, quando Gabrielle volta a respirar, mais juras de amor e promessas de seguir juntas pela vida.

O próximo beijo na boca acontece em numa situação semelhante, mas agora é Xena quem virtualmente morre e, numa aparição, pede a Gabrielle que encontre a ambrosia, alimento dos deuses, para que possa ressuscitar. É claro, o pedido termina com um beijo apaixonado e sem o truque da respiração boca-a-boca. É verdade que, para dar o beijo, Xena toma o corpo de um homem, mas tudo bem – na visão de Gabrielle não é o homem, mas Xena quem a beija. Esse episódio – *"The quest"* – foi exibido apenas pelo canal a cabo USA Network. O SBT, que durante um tempo veiculou a série, moitou esse capítulo. Pode-se argumentar que o horário de exibição, no domingo de manhã, não permitia cenas mais "fortes". Mas a série também mostra cenas violentas de lutas que são exibidas normalmente neste horário – parece mesmo que o problema foi o beijo...

Nos episódios seguintes, o relacionamento entre Xena e Gabrielle foi se aprofundando cada vez mais, beirando a tragédia grega. Abandonada por Xena, que estava obcecada por assassinar Julio César, Gabrielle é capturada por uma seita do mal e é emprenhada por um ser malévolo, no melhor estilo *O bebê de Rosemary*. Xena volta para salvar a companheira, mas Gabrielle acaba parindo uma filha demônia que mais tarde assassina o próprio filho de Xena (sim, ela teve um filho um dia) com requintes de crueldade. Gabrielle mata a filha demônia, mas isso não é o suficiente para recuperar o amor de Xena. Pura tragédia grega. As duas só voltam a fazer as pazes depois que Xena, metaforicamente, mata Gabrielle num mundo encantado de fantasia – o seu próprio inconsciente. Para tornar mais lírico o reencontro entre as duas, depois de tanto drama e sofrimento, fizeram do episódio *"Bitter suite"* uma ópera. O episódio é totalmente musical e a atriz Lucy Lawless surpreendeu mostrando seus dotes de cantora (ela já havia atuado em *Grease*, na Broadway). Xena e Gabrielle cantam juntas em três duetos – três canções de amor eterno que já fazem parte do cancioneiro lésbico. As duas se perdoam e acordam abraçadinhas à beira-mar. Superfofo.

Durante a quarta temporada da série, Xena e Gabrielle descobriram que são almas gêmeas e que permanecerão juntas por várias encarnações. É o subtexto alcançando o status de texto: não há como negar que, se não é sexualmente ativa ou explícita, a relação entre Xena e Gabrielle é lésbica de fato. Até mesmo quando os produtores enfrentam algum problema extrafilmagens, as soluções são sempre imaginativamente lésbicas. Quando a atriz Lucy Lawless ficou grávida, por exemplo, tiveram que inventar uma gravidez também para a heroína, sem que isso ferisse os brios das telespectadoras lésbicas. Era preciso então justificar a gravidez da personagem, que não tinha nenhum namorado e que parecia praticar sexo apenas com a sua companheira de lutas. Os roteiristas, inspirados quem sabe pela Virgem Maria, inventaram uma gravidez espiritual para Xena, que é fertilizada pelo espírito de sua ex-inimiga, Callisto, agora convertida para o bem.

A maternidade, entretanto, não foi obstáculo para que as insinuações lésbicas continuassem: um pouco antes do parto, por exemplo, Gabrielle sonha que ela e Xena dão à luz juntas e que o bebê é a união das essências das duas. Que tal? Xena e Gabrielle têm uma filha juntas! Para completar, dão à criança – uma menina – o nome de Eva, reescrevendo o mito da costela de Adão. E quando Ares, o deus da guerra (que é obcecado por Xena), pergunta a ela quem será o pai da criança, a heroína responde com a maior simplicidade: "Gabrielle, á claro!" Mais lésbico impossível – agora em versão "família alternativa"...

A televisão jamais mostrou algo tão sexualmente revolucionário nas suas matinês. Apesar de nada ser explícito, não há quem não assista *Xena* e não perceba que a série é, ao mesmo tempo, sutil e descaradamente lésbica. Numa época em que os movimentos gays valorizam a visibilidade, pode-se dizer que *Xena* faz uma concessão ao *status quo* ao optar pelo lesbianismo implícito e sugerido. Mas pode-se dizer também que, graças ao artifício dos subtextos, a série sobrevive deliciando as fãs do mundo todo. Afinal, ondc está Ellen? Onde estão Leila e Rafaela, da novela *Torre de Babel*? Enquanto o alvorecer gay não pinta em nossa tv, Xena cumpre – e bem – seu papel de musa das bolachas.

A Gomorra paulistana

Num ataque de nostalgia, eu – tomada por um espírito proustiano – parto em busca do tempo perdido. Um tempo em que não existiam mais duquesas de Guermantes nem barões como Charlus, mas um tempo em que Sodoma e Gomorra ainda estavam de pé.

A Gomorra que conheci em 1980, aos dezessete anos de idade, localizava-se no centro da cidade de São Paulo: uma série de sete redutos para lésbicas distribuídos num triângulo entre a Praça da República, a rua Santo Antônio e a rua da Consolação. Fazíamos um percurso chamado por nós de "A Via Sacra", onde tínhamos que completar todos os sete passos, como se fosse a paixão de Cristo. A diferença era que a paixão, para algumas de nós, significava o caminho para o paraíso e para outras apenas a promessa de sarna para se coçar e uma cruz para carregar...

A noite começava quando nos encontrávamos na sede do LF (grupo Lésbico-Feminista), a Primeira estação de nossa jornada, onde batíamos cabeça para Safo antes de sair para a rua. Apenas uma de nós possuía um carro. Foi quando descobrimos quantas sapatas cabem num fusquinha: três na frente e seis atrás. E a noite começava bem, entre amassos, abraços e pernas se esfregando no banco traseiro.

A Segunda estação da nossa paixão gomorriana era um bar chamado Canapé & Poesia, com uma pequena pista no subsolo. O bar era freqüentado por casais tipo *Lady* & Sapatão, mas as "maridas" só compareciam com as suas mulheres no sábado. Na quinta e na sexta as franchas apareciam sozinhas, para caçar. É claro que, sendo sapatonas, elas só se interessavam por ladies, sandalinhas e até mesmo uma ou outra hetero desavisada que caía de pára-quedas.

Esgotadas as possibilidades do Canapé, dobrávamos a esquina da Santo Antônio em direção à Avanhandava e entrávamos no Cachação, um bar freqüentado pela classe trabalhadora e por uma deliciosa maioria negra. Essa Terceira estação se transformava num *dancing* depois da meia-noite, mas apenas para aquelas que tinham talento nos pés e nos quadris, já que lá só rolava samba.

Depois dos dois dedos de prosa ou samba no pé, conforme a aptidão, andávamos 50 metros até chegar, na mesma rua, ao famoso e tradicional Ferro's Bar. Quando o delegado Riccheti não passava por lá com o seu camburão para prender as sapas que davam pinta, o Ferro's até conseguia se passar por um lugar "careta". É que, até a *happy hour*, o boteco era realmente um bar como outro qualquer. Mas depois do expediente começavam a chegar as entendidas para um chopinho a duas. Nós, ativistas e festivas, tentávamos convencê-las de que "entendida" era um termo bobo e enrustido – é muito mais bacana, nós dizíamos, ser "lésbica". Mas bastava pronunciar a palavra mágica para as franchas ficarem mal humoradas e nós, cansadas de dar murro em ponta de faca, seguirmos para a próxima estação de nossa Via Sacra.

Nosso Quinto estágio se chamava Bug House, aos domingos oferecia uma matinê aberta a maiores de dezesseis anos. Era a nossa oportunidade de conhecer garotas mais novas que não podiam freqüentar as boates, proibidas para menores de dezoito. O ambiente juvenil escolar da Bug House era coroado por uma mesa de sinuca, situada num mezanino, em que as precoces lésbicas adolescentes provavam que eram boas também no taco.

Com a noite se aproximando do seu clímax, dávamos uma paradinha estratégica no Sanduba's para forrar o estômago e observar o movimento de bolachas na porta da Moustache, ali ao lado. Mesmo sem querer, a lanchonete tornou-se ponto de encontro das gomorrianas. Mas esse nosso Sexto passo nada mais era que uma preparação para a grande Apoteose.

A Moustache, nosso Sétimo estágio, foi uma das mais duradouras boates de São Paulo e permaneceu durante muitos anos atraindo um público majoritariamente lésbico. Lá encontravam-se mulheres de todas as cores, tipos, idade e estratos sociais. Era na pista da Moustache – a melhor discotecagem da cidade – que encerrávamos a nossa Via Sacra na esperança de arranjar uma namorada ou uma noite de sexo, torcendo para não terminarmos a madrugada chupando o próprio dedo ou levando um sarrafo (as garotas ali eram muito ciumentas). Certo é que nunca terminávamos a noite sozinhas: sempre podíamos contar umas com as outras, voltando para casa, dentro daquele fusquinha apertado, andando pelas ruas de uma Gomorra quase santa, mas repleta de Albertines.

A arte do disfarce – parte III

Em entrevista à revista *The advocate* durante o lançamento de seu filme *Garotos não choram,* a diretora Kimberly Pierce contou um fato curioso da sua infância e que a levou a fazer um filme sobre lésbicas. Pierce disse que desde a primeira vez que viu a cena no filme *To have or have not,* em que Humphrey Bogart emprestava uma caixa de fósforos a Lauren Bacall, sedutor como sempre, ela, Pierce, sempre se imaginou no lugar de Bogart. A diretora quis, com isso, ilustrar um dos artifícios mais usados por gays e lésbicas durante séculos para identificarem-se com as histórias que liam e viam nos palcos ou nas telas de cinema.

Durante muito tempo, mas muito tempo mesmo, o homoerotismo explícito foi banido das mais variadas formas de manifestação cultural. Pode-se dizer que, desde o advento e a dominação das religiões monoteístas, o homoerotismo foi relegado aos cantos de páginas, a aparições eventuais e moralmente condenáveis e, mesmo assim, parece ter permeado e inspirado milhares de obras de arte de valor inestimável para a humanidade. Basta lembrar as dúvidas que pairam sobre o verdadeiro sexo de Mona Lisa depois de levantada a suspeita de que Da Vinci gostava de garotos...

Não somente leitores gays e lésbicas aprenderam durante séculos de seca a trocar o sexo de Romeu ou Julieta para assim veremse retratados, como também muitos escritores já trocaram o sexo e até mesmo a preferência sexual dos seus personagens para driblar a censura e chegar, de alguma maneira, a tocar o imaginário dos seus leitores.

Um dos casos mais notáveis de troca de sexo para este fim é o de Albertine, personagem chave de *Em busca do tempo perdido*, obra-prima de Marcel Proust, considerado o romance do século. Proust escreveu o livro baseando-se na sua memória e no seu passado. A personagem Albertine, por quem o narrador se apaixona, foi na verdade inspirada em Albert, amante de Marcel. No livro, Marcel morre de ciúmes e suspeita que a sua amada goste de namorar com garotas. Na vida real, Marcel sofria com a queda do amante também por mulheres.

Ora, Proust transformou o seu amante numa mulher para poder falar do amor de uma maneira mais abrangente, usando para isso a facilidade que o público teria em identificar-se com um romance heterossexual.[27] Porém, seu amigo Andre Gide notou que Proust, mesmo querendo disfarçar e deixar de lado o romance homossexual, acabou escrevendo um livro que, a partir do volume *Sodoma e Gomorra*, tornou-se um verdadeiro tratado do amor homossexual. Mais flagrante ainda é o fato de que, por mais que disfarçasse, Proust não conseguia dissimular o sexo do verdadeiro inspirador da personagem Albertine. Afinal, como disse na época a nova amiguinha de Proust, Natalie Barney, o lesbianismo de Albertine era absolutamente inverossímil. Nada mais improvável do que uma lésbica freqüentar uma sauna e dar umas três rapidinhas com desconhecidas ou camareiras freqüentadoras do lugar. Ou então o episódio em que Marcel descobre que Albertine dá outra rapidinha com uma amiga, atrás da Igreja, e volta como se nada tivesse acontecido. O que reparamos é que o comportamento de Albertine é muito mais gay do que lésbico. Não que uma lésbica não goste de rapidinhas ou não transe com três garotas diferentes na mesma tarde, mas de maneira geral há particularidades muito mais significativas a serem atribuídas ao comportamento de uma lésbica na virada do século.[28] A não ser que, é claro, estivéssemos falando da

---

[27] O próprio Proust faz, no volume *O tempo redescoberto*, uma breve análise desse fenômeno de identificação reversa ao comentar que o homossexual Charlus nunca teve dificuldade em se colocar no lugar das heroínas dos romances, para fins de identificação.

[28] Na época, a maioria das relações lésbicas conhecidas publicamente era formada por casamentos sólidos ou então longuíssimos *lesbian dramas*: as damas vitorianas de Langollen viveram felizes para sempre em seu jardim; Colette e sua amante

própria Natalie, uma exceção à regra e que, segundo Alice B. Toklas, catava suas namoradinhas no banheiro do Louvre!

Resumindo, o público de gays e lésbicas aprendeu desde sempre o que chamo de identificação reversa: ver-se retratado até mesmo em situações de heteroerotismo, colocando-se no lugar do homem, no caso das lésbicas, ou da mulher, no caso dos gays. Por sua vez, escritores e artistas gays sempre trocaram o sexo dos seus inspiradores para compor seus personagens (isso quando o narrador não assume o outro sexo), artifício usado para driblar a censura, sensibilizar o público de maioria heterossexual e ainda assim manter um vínculo afetivo com o seu personagem.

A liberação gay dos últimos trinta anos permitiu o surgimento de mais obras centradas em relações homoeróticas e mais personagens gays e lésbicas, o que acaba aposentando finalmente esse artifício da identificação reversa. É uma libertação tanto para público como para artistas. Não que precisemos aposentar o baile de máscaras, mas é bom contar também com a opção da narrativa explícita, sem disfarces. O que surpreende é que esse clima de liberdade seja tão recente que mesmo a jovem diretora de um filme explicitamente gay conte que, ela mesma, teve que ficar, durante toda a infância, se colocando no lugar de Humphrey Bogart – o que, convenhamos, deve ser bem divertido...

Missy trabalhavam juntas no teatro e viviam em clima de relativa fidelidade; Vita Sackville-West e Violet Trefusis protagonizaram um dos maiores e mais populares *lesbian dramas* da Inglaterra na década de 1910. Só para ficar com o último exemplo: se fossem adeptas das rapidinhas e da rotatividade de relações que caracterizavam a vida gay, Vita e Violet não tinham armado tanta confusão – basta lembrar que o marido de Vita, Harold Nicholson, era gay e seus casos e encontros de banheirões nunca representaram ameaça ao seu casamento com Vita nem ao *status quo* da alta sociedade londrina.

Lição de antropologia

Quando o estudo da antropologia mudou o seu foco, passando a valorizar as outras culturas do planeta e deixando para trás o autocentrismo branco, caucasiano e europeu, o mundo ocidental também mudou. Se no séc. XIX cientistas ainda viam as coisas sob uma perspectiva de superioridade da raça branca, o séc. XX revelou cientistas e estudiosos que começaram a ter um ponto de vista mais relativo: nenhuma cultura é superior à outra, apenas diferente.

Entre os antropólogos revelados no início do séc. XX, duas mulheres – Margaret Mead e Ruth Benedict – desenvolveram seus trabalhos em franca e intensa colaboração. As duas eram muito amigas, foram amantes, eram bissexuais e tiveram seus estudos visivelmente influenciados por suas sexualidades. Margaret Mead focou seu trabalho quase exclusivamente na diferença entre os sexos, na distribuição de papéis entre os dois gêneros, e revelou como podem ser diferentes, conforme o lugar e a cultura, as maneiras como se encaram macho e fêmea.

Quando Mead publicou seu livro *Adolescência em Samoa*, revelando como os habitantes das ilhas do Pacífico Sul eram "liberados", a polêmica foi enorme. Para alguns, o livro era pornográfico, pois relatava encontros debaixo do coqueiro, homo e heterossexuais, sem a menor culpa. Mead pretendia provar que uma questão como a homossexualidade, por exemplo, só era experimentada como algo ruim ou como perversão se a cultura local condenasse esse tipo de prática. Se, por exemplo, fosse oferecido um espaço para a manifestação da homossexualidade, esta seria encarada sem grandes traumas ou problemas para a ordem social.

Muitos anos mais tarde, na década de 1980, um sujeito chamado Derek Freeman começou uma campanha para detonar Mead, alegando que ela fora enganada pelos habitantes de Samoa, que mentiam deliberadamente. Freeman disse ainda que Mead não coletou dados suficientes para provar a sua tese e que os oito meses que a antropóloga passou em Samoa eram pouco para se pesquisar a cultura local em profundidade. Ora, Freeman não considera que os habitantes de Samoa da década de 1980 já contavam com décadas inteiras de colonização ocidental e estariam impregnados da culpa puritana introduzida pelo protestantismo americano. Muitos habitantes poderiam estar mentindo para ele, de maneira a "salvar" suas reputações, "manchadas" pelo relato de Mead em *Adolescência em Samoa.*

De qualquer maneira, é curioso reparar como é mais fácil atacar a reputação de uma mulher do que a de um homem: basta atentar para as diferenças de significado entre os termos "homem público" e "mulher pública". O fato é que Freeman não conseguiu destruir a reputação de Mead, apesar de tê-la arranhado. Vale notar que, mesmo que os dados tenham sido insuficientes, Mead era uma excelente observadora, rápida e intuitiva, e as suas teses no livro continuam válidas.

Depois do livro de Samoa, Mead se debruçou ainda mais sobre a relação entre os sexos nos livros *Sexo e temperamento* e *Macho e fêmea.* Em suma, Mead concluiu que uma cultura em que determinados temperamentos são atribuídos a um determinado sexo, é uma cultura empobrecida e empobrecedora. Ou seja, numa cultura em que a coragem e a luta são atribuídos ao homem, uma mulher com vontade de lutar não encontra meios de expressar o seu temperamento. Mead dizia que o mais provável nesse cenário era essa mulher tornar-se homossexual. Nesse sentido, ela fazia uma distinção sobre homossexuais congênitos (que realmente nasciam assim) e os que eram levados à homossexualidade por circunstâncias como a citada.

Mead nunca procurou explicar a existência de homossexuais congênitos, talvez porque não acreditasse que houvesse uma explicação. Influenciada pela teoria da bissexualidade de Freud, Mead concordava que esse sim seria o estado natural dos seres humanos. No entanto, foi um pouco mais além da teoria freudiana (que listava a homossexualidade como perversão), afirmando por sua vez que "a heterossexualidade extrema é uma perversão".

Se Mead concentrou-se mais na relação entre os papéis sexuais, sua parceira Ruth Benedict aprofundou-se no estudo dos "desviantes". Ruth, que antes era mentora e depois virou colega de Margaret, criou o conceito do "desviante" para denominar os indivíduos que não se encaixam em uma cultura dominante e que, por isso mesmo, são a chave para entender a formação, o funcionamento e a estrutura dessa mesma cultura. O "desviante" estaria sempre alertando a sociedade para a necessidade da criação de novos espaços e funções que abriguem esses indivíduos que, por ora, não se encaixam na estrutura social. O "desviante", dessa maneira, empurra os limites de tolerância de uma dada cultura, provocando mudanças para que essa mesma cultura mais tarde o absorva.

Com essa teoria Benedict, que sempre dizia aos amigos que se sentia uma "estranha no mundo", procurava justificar a sua própria condição dentro da sociedade americana. Certamente contribuíam para isso o seu lesbianismo e o fato de ser uma mulher de carreira num mundo acadêmico dominado por homens. Um mundo, aliás, onde importava mais a exatidão e profusão de dados coletados do que a conclusão intuitiva que deles pudesse se apreender, como no caso de Mead em Samoa. Um mundo acadêmico que volta e meia desprezava jocosamente os trabalhos das duas antropólogas por serem escritos em linguagem direta e popular, ao contrário dos estudos cheios de jargões científicos e linguagem hermética dos seus colegas homens.

Mead e Benedict, além da sua importância inegável no contexto da antropologia, souberam popularizar vários conceitos sociológicos e antropológicos e atuaram de maneira direta na mudança da sociedade americana dos anos de 1920 até os de 1960. Noções como racismo, sexismo, desajustamento social, papéis sexuais e a afirmação da diferença entre as diversas culturas, sem que uma seja superior à outra, são popularizadas por essas duas cientistas – noções que passaram a fazer do dia-a-dia das pessoas, nos quatro cantos do planeta. Não é pouco.

A primeira super-heroína lésbica

A década de 1920 ficou conhecida como "os loucos anos" e a geração que viveu o auge da sua vida madura nesta época foi apelidada de "geração perdida". Mas os anos de 1920 ficaram famosos também por ser a década do *lesbian chic*. Do Harlem nova-iorquino até a Rive Gauche parisiense, passando necessariamente por Berlim, lésbicas andavam de braços dados pelas ruas, eram cantadas em prosa e verso e quase toda mulher moderna que se prezasse experimentava uma relação homossexual. Isso só foi possível porque, após a Primeira Guerra, as mulheres começaram a conquistar espaço no mercado de trabalho, o que significava ganhar o seu próprio dinheiro, podendo assim dispensar a tutela de um marido. E, óbvio, sem a necessidade econômica de casamento heterossexual as lésbicas podiam se sustentar e morar sozinhas ou acompanhadas das suas amantes, enfim, podiam viver o seu lesbianismo plenamente.

Esse pelo menos era o caso das mulheres mais à frente do seu tempo, artistas que se reuniam na casa de Natalie Barney na Rive Gauche. Foi inspirada em sua amiga Natalie que a escritora Djuna Barnes criou a primeira super-heroína lésbica de todos os tempos: dame Evangeline Musset. A heroína era protagonista de um pequeno livro, *Ladies almanack* (Almanaque das senhoras), uma paródia do círculo de amigas lésbicas de Natalie Barney.

Foi a própria Natalie – ela mesma escritora e patrona de artistas mulheres – quem encomendou o livro à sua amiga Djuna, que na época enfrentava dificuldades financeiras. Além de ajudar Djuna, saciar a sua enorme vaidade e exercer a sua fama de mecenas, Natalie Barney queria que o *Almanaque* fosse uma resposta bem-humorada a *O poço da solidão*, livro de uma outra freqüentadora do grupo, Radclyffe Hall, que foi julgado por obscenidade por seu conteúdo lésbico. Natalie, que também havia inspirado um personagem em *O poço*, discordava do tom derrotista e enrustido do livro de sua amiga Hall e queria que Djuna fizesse algo mais à altura do seu orgulho lésbico. Milionária, Natalie financiou a publicação do livro, que teve uma pequena tiragem de 1050 exemplares vendidos de mão em mão nas ruas da Rive Gauche. A edição logo se esgotou, o que foi um alívio para Djuna, que havia escrito a paródia sob pseudônimo, com medo de se ver envolvida numa questão judicial – afinal, meses antes a Inglaterra havia banido seu antecessor, *O poço da solidão.*

Com efeito, a personagem criada por Djuna não tinha nada do caráter complexado de Stephen, a heroína de *O poço da solidão.* Evangeline Musset, como a própria Natalie, alardeava o seu lesbianismo com orgulho e tinha como missão salvar as mulheres do perigo da heterossexualidade. O nome da heroína já revelava sua predisposição evangelizadora (Evangeline) e seu caráter hedonista (a referência no sobrenome ao poeta Alfred de Musset). Em tom farsesco, numa linguagem quase intraduzível, *mezzo*-elizabetana, *mezzo* James Joyce (de quem, aliás, Djuna era muito amiga), o *Almanaque* era ilustrado com desenhos a nanquim feitos pela própria autora, que também enveredava pelas artes plásticas.

A narrativa, nada linear, se divide entre os doze meses do ano. Em janeiro nasce a heroína: "Esta é a Fábula de como é boa uma Moça quando molha a Cama eternamente, ela que se chamava Evangeline Musset e que tinha em seu Coração uma Grande Cruz Vermelha em prol da Perseguição, do Alívio e da Distração de certas Garotas assim como suas Partes Traseiras, e suas Partes Frontais, e seja lá que Partes lhes doem mais..."[29] Em março, ao ouvir da heroína como foi desvirginada pelas mãos de um cirurgião, a personagem Tilly Tweed-in-Blood, inspirada em Radclyffe Hall, levanta-se para defender Evangeline Musset, decretando: "Estes Olhos não conhecerão Sono até que você seja vingada!", ao que Evangeline responde: "Paz! Eu sou a minha Vingança!"

[29] A tradução desse trecho do livro, assim como do que se seguem, é minha (N.A.)

Em agosto, numa percepção aguda dos modos e maneiras das mulheres lésbicas, a narradora imagina por que elas são como são: "O que elas têm em suas Cabeças, Corações, Estômagos, Bolsos, Abas, Alças e Bolsetas, tem sido bem e variadamente comentado... Alguns reclamam que elas não podem de jeito nenhum fazer, ser, pensar, agir, obter, dar, ir, vir, certo. Outros que elas não podem de jeito nenhum fazer, ter, ser, pensar, agir, obter, dar, ir, errado, outros se colocam entre dois Vasos dizendo que elas conseguem, ainda que não possam, que elas tem e não possuem, que elas pensam ainda que pensem em nada, que elas cedem e também tomam, que elas estão tanto certas como muito erradas, que de fato elas oscilam entre duas Condições como o Badalo de um Sino que nunca pode-se dizer estar em nenhum lugar, nem no Centro, nem nos Lados, pois o que está sempre se movendo, não está em nenhum Estado fixo por tempo suficiente para ser tanto execrado como transfigurado. É isso, talvez, que as tornou tão perfeitas para o Inferno e ligeiras demais para o Céu".

Em dezembro morre Evangeline Musset aos 99 anos bem vividos (Natalie Barney viveu até os 96), e depois de ser cremada numa pira cerimonial suas garotas percebem que "tudo tinha queimado menos a Língua, e esta resplandescia".[30]

É assim que Djuna termina a saga de Evangeline Musset, primeira heroína lésbica da literatura mundial.[31] A língua, intacta, revela a permanência, através de séculos e séculos, da poesia lésbica – afinal, a literatura sempre foi o veículo de expressão e de resistência do homoerotismo feminino. Nem o fogo que queimou as poesias de Safo nem a fogueira que levou Joana conseguiu eliminar a língua de Evangeline Musset. Que ela brilhe incandescente por muito tempo ainda!

---

[30] Djuna Barnes faz aqui uma referência explícita à lenda que se formou em torno da morte de Joana D'Arc, segundo a qual seu corpo todo havia sido queimado, mas não o coração.

[31] Mademoiselle Maupin, de Theophile Gautier, era bissexual.

Mostre a sua que eu mostro a minha

Ao contrário dos garotos, que desde a mais tenra adolescência mostram e comparam os seus genitais com os dos outros meninos, as meninas nunca cultivaram esse tipo de prática. Além de não serem estimuladas a fazê-lo, a própria configuração dos genitais femininos dificulta uma comparação baseada numa observação mais superficial. Para que uma garota observe a fundo a sua xoxota ou a xoxota alheia é preciso tempo e disposição para uma investigação mais detalhada e pormenorizada. As situações de vestiário, por exemplo, tão traumatizantes para os rapazes de pênis diminutos, nunca são traumatizantes para as garotas. Primeiro, não há aquela pressão sobre o tamanho do clitóris e, segundo, as xoxotas sempre se escondem atrás de matas densas, mesmo quando aparadas de acordo com o gosto da freguesa.

Se por um lado não sofremos por causa do tamanho de nossos bilauzinhos, comparando-os com os das outras, por outro deixamo-los quase esquecidos, relegados a uma quase invisibilidade. Uma amiga minha que promovia oficinas de sexo seguro para mulheres bissexuais se disse espantada com a falta de intimidade das garotas com a sua própria xoxota. Ao pedir que desenhassem numa folha de papel suas vulvas, muitas delas devolviam a folha com um simples triângulo, o típico "sexo de boneca". Devo salientar que não era exigido delas talento de desenhista e que era solicitado apenas que descrevessem, em traços gerais, o que imaginavam ser a sua xoxota.

Pois bem: em vista da ampla ignorância, o passo seguinte para as mulheres que faziam a oficina era, em casa, empreender uma investigação mais a fundo, abrindo as pernas na frente do espelho para conhecer mais o próprio corpo. A tarefa poderia ser executada também a duas, uma observarndo a xoxota da outra. Esse segundo método, além de mais divertido, ofereceria também a oportunidade de se comparar as xoxotas, pois elas nunca são iguais umas às outras.

As mulheres homo e bissexuais têm mais chance de observar outras xoxotas e compará-las com as suas. Já as hetero teriam que arrumar amigas do peito (ou seriam da xoxota?) se quisessem comparar os seus genitais ou então ver muito filme pornô. Para que essa comparação? Ora, para saber que, se você tem pequenos lábios enormes e que parecem disformes, os das outras também são diferentes. Que se eles são roxo-escuros e craquelados, ao contrário de rosa-claro e lisos, isso não é uma anormalidade, e que mulheres podem ter a xoxota rosa ou roxa, tanto faz.

Através da investigação externa e interna, ao alcance dos nossos olhos e mãos, podemos observar o nosso osso pubiano; o clitóris localizado na parte inferior do osso, de onde saem também os grandes lábios; por entre eles os pequenos e, entre os pequenos, um buraco grande, a vagina e, um pouco acima dele outro buraco pequenino, a abertura da uretra. Para aprofundar um pouco mais a nossa compreensão, podemos e devemos procurar livros que expliquem e descrevam o funcionamento do nosso sexo, principalmente da parte que não conseguimos ver (um bom livro sobre o assunto e referência obrigatória é *Mulher: uma geografia íntima*, da bióloga Natalie Angier).

No final dos anos de 1990 foram publicados estudos da médica Hellen O'Connell que, dissecando genitais femininos, encontrou extensões nevrálgicas do clitóris aprofundando-se pela parede da vagina e espalhando-se pelos bulbos vestibulares (bulbos que se localizam dos dois lados da abertura vaginal e que intumescem durante o processo de excitação), o que a fez concluir que o clitóris é muito maior do que estamos acostumadas a pensar.

A exemplo da dra. O'Connell, muitos cientistas estão dando mais atenção à anatomia genital da mulher e tirando o prazer feminino do armário. O próprio livro citado de Natalie Angier, que além de bióloga é feminista, colunista do *New York Times* e ganhadora de um prêmio Pulitzer, transformou-se num *best-seller* na América, tão grande a demanda pelo assunto. Aqui no Brasil, por enquanto, clitóris é palavra quase proibida na televisão, quando não é considerada chula e de mau gosto pelo senso comum – isso quando as pessoas sabem o que quer dizer "clitóris".

Já estamos em pleno séc. XXI e é preciso que mulheres e homens saibam que o orgasmo feminino precisa da participação ativa do clitóris, que esse órgão pequenino e maravilhoso intumesce, fica rijo e duro quando excitado, que pequenos lábios são diferentes entre si e que o conhecimento do seu próprio sexo só aumenta o prazer que uma mulher pode dar e receber. A troca de idéias e informações entre as garotas só pode incrementar e multiplicar as possibilidades de prazer oferecidas pelo nosso próprio corpo.

Chega de silêncio sobre o assunto! Afinal, não somos só peitos e bunda.

Noturno romance

Freud dizia que as grandes obras de arte eram resultado da sublimação das pulsões mais perversas e neuróticas de um artista. Nesse sentido, uma das pérolas mais preciosas da literatura homoerótica, *Nightwood*,[32] de Djuna Barnes, foi o perfeito registro de uma grande história de amor e sua sublimação. Dedicado a – e inspirado por – sua amante Thelma Wood, Djuna percebeu muito tempo depois que havia dado à sua obra prima um título que continha as iniciais do nome de sua namorada: T. Wood.

Barnes fazia parte do enorme grupo de artistas expatriados que viveram em Paris durante os loucos anos de 1920 e 1930. Jornalista americana, mudou-se para o Velho Mundo, onde era correspondente cultural de um par de revistas nova-iorquinas. Era uma mulher linda, fascinante, inteligente, e contava com um enorme prestígio entre alguns escritores mais badalados da época, o que lhe rendeu, por muito tempo, a alcunha de "escritora para escritores". Era admirada por T.S. Elliot e James Joyce (Djuna era das pouquíssimas pessoas que o chamavam de "Jim"), mas hostilizada por Ezra Pound, que via nela um engodo, e desprezada por Gertrude Stein, que, de Djuna Barnes, disse apenas que possuía lindas pernas.

Durante os anos que viveu em Paris – praticamente toda a década de 1920 –, Djuna viveu um longo casamento com a desconhecida escultora americana Thelma Wood. Se no início a relação

---

[32] O livro não foi editado no Brasil. Há, porém, uma edição portuguesa chamada *O bosque da noite*.

era tranqüila e idílica, os últimos anos foram marcados por brigas e pela infidelidade patológica de Thelma. Alcoólatra e boêmia, Thelma Wood passava as noites fora de casa, nos bares e *nightclubs* parisienses, namorando homens e mulheres, enquanto Djuna esperava em casa ou, quando batia o desespero, saía à sua procura.

No ano em que romperam, Djuna começou a escrever o romance *Nightwood*, "enquanto o sangue ainda escorria",[33] segundo as suas próprias palavras. Robin, a personagem principal do livro, foi inspirada em Thelma e é uma espécie de Lulu da caixa de Pandora, um ser livre que jamais será possuído. Apaixonados por Robin, três outros personagens dividem sua dor e angústia: o judeu enrustido Felix, ex-marido de Robin; a garota Nora, amante de Robin e *alterego* de Djuna, e Jenny Peterbridge, a mulher que arranca Robin dos braços de Nora. A esses quatro personagens junta-se o doutor Matthew O'Connor, um médico decadente, homossexual, que gosta de se travestir e que reflete e filosofa sobre as amarguras dos outros quatro personagens.

Nightwood foi interpretado, durante muito tempo, como um romance que explorava o mundo dos pervertidos e destituídos em plena era de ascensão do nazismo e dos ideais de pureza de raça. Como sintoma de resistência, Djuna povoou o seu livro de personagens que, de maneira geral, são excluídos da sociedade. Se entre os personagens principais havia um judeu, três lésbicas e um médico travesti, o restante do livro era povoado por tipos marginais como anões, artistas de circo, ciganos etc.

O destino comum dos destituídos em *Nightwood* parece ser a grande noite que os acolhe e confunde os contornos mais precisos que poderiam, de outra forma, denunciá-los. Dessa maneira, a homossexualidade ocupa um espaço predominante na obra e os diálogos entre Nora e o doutor O'Connor revelam as grandes inquietações de Djuna Barnes a respeito da sua própria sexualidade. Da boca do médico – aliás, o personagem preferido de Elliot, editor do livro – saem alguns dos textos mais poéticos do romance. A densidade e a beleza da escrita de Barnes vêm à tona em trechos como este: "Todos nós carregamos conosco a casa da morte – o esqueleto. Mas diferente da tartaruga, a nossa segurança está dentro, e o nosso

[33] HERRING, Phillip. *Djuna*.

perigo fora. O Tempo é uma grande conferência planejando o nosso fim e a juventude é somente o passado colocando uma perna adiante. Ah, ser capaz de agüentar o sofrimento, mas deixar o espírito livre e solto".

Alternando momentos de puro existencialismo com outros de finíssimo humor negro, *Nightwood* ficou famoso pela cena final, em que Robin rasteja atrás de um cachorro com intenções libidinosas. Alusão a bestialismo não era novidade na obra de Djuna Barnes, que explorou o assunto em outros romances, contos e peças de teatro. Mas a cena final de *Nightwood* era forte e Thelma Wood, depois que leu o livro, já separada há anos de Djuna Barnes, ficou tremendamente chocada, magoada e triste. Quando teve a oportunidade, jogou uma xícara de chá na cara de Djuna, que não imaginava que a ex-amante pudesse ficar tão ofendida assim. Um grosso erro de cálculo, já que Djuna Barnes escreveu o livro com a clara intenção de vingar-se da amante. Afinal, ela mesma dizia: "Não é o escritor um bastardo? Pelo menos extraímos um livro de nossa miséria!"[34]

Nightwood foi escrito com sangue, suor e lágrimas. Acabou se tornando um clássico do modernismo americano mas foi um completo fracasso de público e crítica – salvo Dylan Thomas, que disse ser aquele o maior livro já escrito por uma mulher. Mesmo hoje, é bastante desconhecido e sua narrativa truncada e não linear, num inglês que, se não chega a ser plenamente elizabetano, como em algumas das suas obras anteriores, afasta os leitores não iniciados nas idiossincrasias barneanas. Não é mesmo um livro fácil. E é extremamente belo. Tão belo, misterioso e indecifrável como a própria Djuna Barnes.

---

[34] HERRING, Phillip. *Djuna.*

O planeta das macacas

Um dos argumentos mais usados quando se quer atacar a homossexualidade é o de que ela não é natural, ou seja, vai contra todas as leis da Mãe Natureza. Pois bem: em 1999 foi publicado um livro – um verdadeiro compêndio – provando de uma vez por todas que a homossexualidade está, e sempre esteve, presente na natureza. O livro é *Biological exuberance*, do biólogo Bruce Bagemihl, que foi relacionado pela conceituada revista *Nature* como uma das dez mais importantes publicações científicas do ano.

Bagemihl teve a colaboração de dezenas de outros zoólogos e biólogos, que lhe forneceram dados suficientes para que formulasse uma enciclopédia de setecentas páginas sobre a homossexualidade no reino animal. Entre as descobertas surpreendentes, a de que existem várias homossexualidades animais, a exemplo das várias homossexualidades humanas. Trocando em miúdos: há animais que adotam um comportamento exclusivamente homossexual, enquanto outros variam as relações hetero e homo, conforme a estação de acasalamento. Alguns ainda estabelecem parcerias homossexuais fixas e de longo prazo e outros adotam comportamentos mais promíscuos e efêmeros. Dessa maneira, a homossexualidade animal pode se manifestar de muitas formas e maneiras, muitas das quais nem investigadas ainda – o próprio Bagemihl sustenta que seu trabalho é um *work in progress*.

Na primeira metade do livro, o autor fornece os subsídios teóricos e interpretações derivadas da enorme quantidade de dados que recolheu. A segunda parte, chamada *Wondrous bestiary*, é uma enciclopédia de fato, organizada por gêneros, espécies e subespécies, em que o autor relata em detalhes os comportamentos homossexuais de cada grupo de animal estudado.

Sem dúvida nenhuma, o verbete mais divertido fica por conta das macacas Bonobo, um dos tipos mais comuns de chimpanzés. Ali ficamos sabendo que, entre as Bonobo, quase 50% das relações sexuais são homossexuais – aliás, essa espécie parece que tem fogo no rabo, pois transa numa média de cinco a seis vezes por dia!

As fêmeas Bonobo quase sempre adotam a posição face a face numa relação sexual, roçando seus clitóris avantajados e mantendo o olhar fixo uma na outra. Foram observadas, durante o orgasmo, contrações nos seus rostos, típicas de uma manifestação de intenso prazer. As macacas têm ainda vários códigos de aproximação e cortejo tão semelhantes aos adotados pelas suas irmãs humanas que fica difícil não achar graça: elas olham fixamente para a macaca desejada, com a mão sob o queixo e com um ar circunspecto ou então agitam os braços acima da cabeça, querendo chamar atenção. Não precisa ter freqüentado muitas boates lésbicas para perceber o quanto esse tipo de artifício é usado pelas bolachas desejosas de um amasso.

Bagemihl vai fundo em seu livro sobre a eterna discussão entre comportamento inato e comportamento socialmente adquirido. Ele argumenta que, mesmo entre os animais, há um aprendizado de condutas e comportamentos que são passados adiante, de geração em geração, constituindo assim um fenômeno sociocultural dentro daquela determinada espécie animal. Ele deixa a questão em aberto: "O caráter plural da homossexualidade, tanto em animais como na espécie humana, sugere uma mistura de categorias aparentemente opostas como natureza e cultura ou biologia e sociedade".

De qualquer maneira, a exuberância biológica que Bagemihl nos apresenta nos faz lembrar de como o estudo científico sempre foi limitado por interesses escusos, preconceitos e falsos moralismos. Um estudo como esse sobre a homossexualidade animal já poderia ter sido feito e publicado há séculos, pois entre inúmeras espécies os animais nunca deixaram de copular também com os do mesmo sexo. Até a publicação desse estudo, atribuía-se a homossexualidade animal a circunstâncias excepcionais, como o encarceramento forçado em zoológico, à falta de um espécime do sexo oposto para copular e outras pobres justificativas mais.

Ganho maior para a sociedade humana em geral, e para a comunidade gay em particular, foi a total aniquilação do argumento da antinaturalidade do desejo homossexual. Bagemihl conclui que "não é mais possível atribuir a diversidade da expressão humana da (homo) sexualidade somente a uma influência da cultura e da história, já que uma diversidade assim pode de fato ser parte de nossos atributos biológicos, uma capacidade inerente para a 'plasticidade sexual' que dividimos com muitas outras espécies". Ponto para o desejo, ponto para a liberdade individual de escolha, ponto para a diversidade e ponto para a grandeza humana que, ironicamente, precisa se comparar ao reino animal e buscar na natureza uma pista para avalizar e legitimar seu enorme potencial.

Quem quer brincar de boneca?

Há alguns anos comecei a perceber em mim um interesse especial por bonecas. Não, meus queridos e queridas leitoras, não fui acometida de uma crise regressiva e nem estou perdidamente apaixonada pela Xuxa! Mas lembro bem que há uns quinze anos, mais ou menos, compus com minha banda de hard-rock, o Nau, uma curta canção bem punk onde cantava "odeio boneca, não quero boneca". A música, mais que afirmar meu desgosto por estas miniaturas de gente, inanimadas, pretendia ser pequeno manifesto "grrrl" para romper com a figura da mulherzinha fofinha, gentil e feminina que gosta de bonecas e é criada para povoar este nosso planetinha.

Mas o que pensei na época ser ódio transformou-se numa relação de amor. Não que eu tenha saído por aí comprando e colecionando bonecas: continuo não tendo bonecas e, definitivamente, não gosto de brincar com elas. Se bem me lembro, a única boneca de que gostava era uma pequenininha e moreninha que minha mãe guardava no alto de um armário, bem fechado. Por que minha mãe a escondia de mim, eu não sei. Só sei que a boneca no armário transformou-se, a certa altura, numa verdadeira obsessão – Freud explica.

Muitos anos depois, já em 1994 ou 1995, dei uma entrevista à *Sui Generis* onde falei abertamente sobre a minha homossexualidade saindo do armário (para o público, pois sempre fui transparente na minha vida particular). Nesta entrevista, resolvi também tirar do armário minha velha conhecida boneca e a revista publicou um texto meu que faz parte de um livro ainda inédito. O texto, chamado Minha boneca, era assim:

Quando eu era criança não costumava brincar de boneca. Eu corria atrás de uma bola e gostava de jogar vários jogos, mas nunca tive carinho especial por um bebê de plástico ou uma filhinha de pano.

Bizarro é o destino. O tempo passou, eu cresci e fui cada vez mais sentindo saudade da boneca que nunca tive. Agora que sou grande e não gosto de ficar sozinha em minha cama escolhi você para ser minha bonequinha.

Em você eu faço carinho enquanto você me faz companhia. Eu te penteio, eu te visto e dispo todinha e você diz para mim segredos lindos que só eu consigo ouvir. E ainda por cima – só nós sabemos quanto – a gente é super feliz.

Pois foi assim que saí do armário junto com a minha boneca. Depois deste dia meu interesse pelas relações das mulheres em geral – e as lésbicas, em particular – com suas bonecas aumenta a cada dia.

O que pretendo investigar aqui, rapidamente, é a maneira como as bonecas aparecem na vida e na obra de algumas lésbicas, a partir de quatro exemplos: as bonecas de Djuna Barnes, o bonequinho da piloto de lanchas "Joe" Castairs, as bonecas sádicas da heroína Barbarella e a canção "Feiticeira", gravada no primeiro disco de Maria Bethânia. Mas, antes de me estender sobre estes quatro exemplos, vamos saber um pouco sobre a origem das bonecas.

As primeiras bonecas de que se tem notícia foram encontradas durante escavações no Egito, em tumbas de crianças, e datam, aproximadamente, de dois ou três mil anos antes de Cristo. Alguns *experts* afirmam que, antes de virar brinquedo de criança, as bonecas eram usadas para fins religiosos. Aquela pequena figura com cara de gente deve ter exercido um fascínio tão grande nas crianças que o objeto, de religioso, passou a ser de uso específico das menininhas com grande coração e imaginação infinita. O mais curioso é que esta transição de objeto religioso para foco específico da atenção e do carinho das crianças parece ter acontecido no mundo todo e em várias culturas. Desde a Índia até a Europa, do Japão até a Síria, entre os incas e os índios americanos, pode-se encontrar todo tipo de boneca, sempre querida pelas crianças e sempre envolvida em simbologias e rituais religiosos.

Que fascínio é esse que a boneca exerce nas meninas e que se espalhou pelos quatro cantos do planeta?

A escritora é Djuna Barnes, que em 1936 publicou sua obra-prima, *Nigthwood*, inspirada na sua relação conturbada com a escultora Thelma Wood. Djuna e Thelma viveram juntas por quase dez anos e a cada festa de ano-novo elas davam, uma para a outra, uma boneca. Numa noite, após uma briga, Thelma jogou no chão uma das bonecas de porcelana que as duas colecionavam. A boneca se despedaçou e parece que o amor delas também. A força simbólica do ato precipitou a separação definitiva do casal. Não poderia ser de outra maneira já que, em *Nightwood*, é inegável a força mítica da boneca na relação amorosa das duas. Em certo trecho, Djuna afirma que "quando uma mulher dá [uma boneca] para outra mulher, ela é a vida que elas não podem ter, é a filha delas, sagrada e profana". Ou quando conta um dia que chegou em casa e viu a amante, bêbada, "parada no meio da sala, em roupas de menino, balançando num pé e noutro, segurando a boneca que ela nos deu – 'nossa filha' – alto sobre sua cabeça, como se ela fosse abatê-la". Não é preciso nem falar, a boneca é jogada ao chão e se quebra, como aconteceu na vida real entre Djuna e Thelma. Mais adiante no livro Djuna Barnes compara o terceiro sexo às bonecas, afirmando que os dois têm algo em comum: "a boneca porque parece viver, mas não tem vida e o terceiro sexo porque tem vida mas se parece com a boneca."

Djuna Barnes, portanto, confere à boneca um lugar especial, fazendo com que a ela substitua o filho que não pode ter e comparando a boneca à sua namorada andrógina, ressaltando a plasticidade que é própria tanto da boneca como do terceiro sexo.

Já a piloto de lancha de corridas Marion "Joe" Castairs preferia um bonequinho. Castairs era contemporânea de Djuna Barnes e na década de 1930 comprou uma ilha no Caribe, onde se estabeleceu até o fim de sua vida. Vestia-se de homem, fabricava e pilotava lanchas de corrida e chegou a namorar a atriz Talullah Bankhead e a sobrinha de Wilde, Dolly. Castairs não desgrudava de Wadley, um boneco de couro, presente de sua namorada Ruth. Durante uma briga – veja a coincidência com o caso de Djuna – Ruth danificou Wadley e a partir desta data Castairs nunca mais deixou nenhuma namorada ou amante se aproximar de seu boneco. Depois disso, Wadley tornou-se o verdadeiro objeto de amor de Castairs: era seu alterego, a ele dedicava festas e fazia extensos ensaios fotográficos mostrando Wadley sob todos os ângulos possíveis, em atividades que nem Barbie sonharia. As namoradas de Castairs – todas – sentiam ciúmes de Wadley. Mas o tempo passou, Castairs envelheceu e seu boneco Wadley também: seu couro escureceu, a cabeça caiu e o boneco, sessenta anos depois, estava todo remendado de band-aid. Já à beira da morte, um amigo disse a Castairs "você nunca precisou de ninguém" ao que ela respondeu: "só de Wadley".[35] Fiel à sua paixão, ela morreu com seu boneco nos braços e assim foi cremada.

O boneco de Castairs então, não era um substituto para o filho que não podia e não queria ter – como no caso de Djuna – mas uma projeção sua, um alter-ego, a sua própria imagem em miniatura. Para mascarar sua profunda solidão Joe Castairs criou um ser à sua imagem e semelhança, a quem dedicava cuidados e buscava proteção: Castairs cuidava do boneco que cuidava de Castairs.

Mas nem todas as bonecas são tranqüilas e confortadoras. Se essas criaturas inanimadas protegiam e eram protegidas por donas como Barnes e Castairs, o mesmo não podemos dizer das bonequinhas sádicas do filme Barbarella. O filme, estrelado por Jane Fonda, é uma ficção científica kitsh da década de 1960. O encontro da heroína com as pequenas vilãs acontece quando Barbarella pousa sua nave num planeta estranho e encontra lindas bonequinhas com quem trava uma conversa amigável, achando tratar-se de doces e ingênuas criaturas. Para sua surpresa, as bonecas a amarram numa estaca e a atacam, mordendo Barbarella com seus pequenos dentes de metal. A cena, sádica, tem fortes conotações eróticas: Barbarella não consegue disfarçar a dor e o prazer que sente a cada mordida. Esta cena permaneceu como o único resquício lésbico de Barbarella já que o diretor do filme, Roger Vadim, resolveu excluir da versão oficial as cenas de lesbianismo explícito entre Jane Fonda e Anita Pallenberg, que fazia a Imperatriz do Mal.

Mas voltando às bonecas: Barbarella é enganada por seus instintos pois acreditava que todas as bonecas eram, por natureza, boazinhas. De certa maneira o encontro da heroína com as bonecas sádicas marca a iniciação de Barbarella no mundo lésbico, um mundo onde as bonecas – e as mulheres – não são como se espera que elas sejam. Assim, as bonecas de Barbarella revelariam um outro traço da dinâmica lésbicas-e-suas-bonecas, um aspecto mais sádico

---

[35] *The queen of whale cay*, biografia de Castairs escrita por Kate Summerscale.

no qual a boneca esquisita e "anormal" representa a profunda recusa de uma mulher a pertencer ao mundo da "normalidade". As bonequinhas sádicas, então, são para aquelas que se recusam ser categorizadas como "boazinhas", "doces", "prontas para o lar" e "prontas para o prazer do homem".

No entanto, mesmo quando as relações das lésbicas com suas bonecas parecem beirar o sadismo, a afeição e a paixão por suas queridas nunca deixa de existir. Uma amiga minha – lésbica – conta que, quando pequena, gostava de jogar bola com sua boneca Lili. Não que Lili fosse centro-avante: minha amiga fazia a própria Lili de bola e chutava a boneca para lá e para cá. Pode parecer cruel, mas minha amiga diz que não era maldade, mas uma coisa lúdica – e que Lili adorava ser a bola!

Partindo do lúdico para o lírico, chegamos finalmente numa das mais belas músicas do cancioneiro popular brasileiro, gravada por Maria Bethânia em seu primeiro disco. A música Feiticeira, de autor desconhecido, conta a história de uma garotinha e sua boneca – Engraçadinha – a quem dorme agarrada todas as noites. Uma madrugada, ao invés da dona ninar Engraçadinha, é a boneca quem faz a menina pegar no sono. A tragédia se dá quando, impossibilitada pelo sono de cuidar de sua bonequinha, a menina acorda com uma surpresa. No último verso, sabemos o destino reservado às duas:

> Despertando deste sono, procurando
> para tê-la em meus braços em abraços
> Oh! que dor no coração ao vê-la ao chão
> separada em mil pedaços.

Engraçadinha, depois de ninar quem sempre a ninou, fica desprotegida, cai no chão e se quebra. Novamente aqui a questão do cuidar-se e do cuidar do outro se apresenta como algo inexoravelmente ligado às bonecas. O cuidado é maternal quando se trata da boneca de Djuna Barnes e é obsessivo quando falamos de Joe Castairs e seu Wadley. A falta de cuidado das bonequinhas sádicas alerta Barbarella para um mundo diferente e a distração descuidada da menina da canção "Feiticeira" provoca a morte da boneca Engraçadinha.

Se o mundo masculino – finalmente avalizado pelo pensamento darwiniano – sempre enalteceu a competição, valorizando aqueles que fizeram algo, alcançaram um posto ou conseguiram feitos importantes, o imaginário feminino parece dar uma importância muito maior ao cuidado – ou à falta dele. Por isso as bonecas, que cuidam de nós assim como nós cuidamos delas, sempre tiveram um lugar especial nos corações e nas vidas das meninas do mundo inteiro – e isso vale até mesmo para a mais macha das garotas. Portanto, agarre sua bonequinha (mesmo se ela for de carne e osso) e seja muito, mas muito feliz!

O poço da solidão

Jamais a palavra "lésbica" havia sido tão pronunciada entre os cidadãos ingleses. Muitos nunca haviam ouvido o termo e outros nem imaginavam que pudesse existir tal coisa. Apesar de, trinta anos antes, o julgamento de Oscar Wilde ter escancarado as portas do mundo homossexual masculino, o lesbianismo era praticamente ignorado. É verdade que na década anterior a aristocrata Vita Sackville-West havia provocado comentários dentro da alta sociedade londrina por conta do seu caso escandaloso com Violet Trefusis. Mas nunca o lesbianismo havia alcançado as primeiras páginas dos jornais como no ano de 1928, quando o livro *O poço da solidão* foi julgado por obscenidade.

Escrito por Radclyffe Hall, autora de sucesso e prestígio, o livro contava a história de Stephen, uma garota com nome de homem que se descobre lésbica e clama pela compreensão da sociedade. O tom autobiográfico do livro é claro e há muito de Hall em Stephen – a própria autora já havia abandonado o primeiro nome, Marguerite, e preferia ser chamada de John.

O poço da solidão foi escrito com o objetivo de fazer uma defesa em nome dos invertidos, termo "científico" dado ao homossexual por sexólogos contemporâneos de Hall. Como a autora já imaginava encontrar problemas com a publicação do livro na Inglaterra, resolveu editá-lo na França, mais liberada, imaginando assim contornar os hipotéticos problemas legais que poderia encontrar em seu país. O livro, porém, apesar da enorme repercussão que obteve nas semanas que se seguiram à sua publicação – havia praticamente esgotado das prateleiras –, levou o primeiro dos seus golpes fatais quando um crítico do jornal *Sunday Express* pediu o seu banimento. A resenha, intitulada "Um livro que precisa ser suprimido", foi escrita em tom virulento e raivoso, argumentando que a obra seria "parte de um apelo insidioso e sedutor, destinado a mostrar a decadência do pervertido como um martírio infligido pela sociedade cruel sobre esses párias". Inconformado, o crítico conclamava: "Nós precisamos proteger as nossas crianças. Eu preferiria dar a um rapaz ou moça saudáveis um frasco de ácido prússico do que dar este livro. O veneno mata o corpo, mas o veneno moral mata a alma". Finalmente, pedia a proibição do livro dizendo que "a literatura ainda não se recompôs dos danos causados a ela pelo escândalo de Oscar Wilde".[36]

Logo após a publicação dessa crítica, 250 exemplares do livro foram apreendidos na alfândega quando chegavam da França. Hall foi ao porto de Dover acompanhada dos seus advogados, mas de nada adiantou: *O poço da solidão* foi a julgamento. Ao contrário do que aconteceu com Wilde, Hall não teve a sua sexualidade questionada, primeiro porque o centro da celeuma era o livro e não um possível comportamento obsceno da autora. E, segundo, porque não havia nenhuma lei que enquadrasse o lesbianismo como crime, como acontecia com a sodomia.

É bom que se esclareça que *O poço da solidão* não foi o primeiro livro a apresentar personagens homossexuais. Muitos livros antes dele haviam descrito homossexuais, mas alguns atenuantes serviam para livrá-los da censura: ou a questão era tratada de forma mais implícita e velada ou então os personagens homossexuais eram apresentados como párias, sem caráter, infelizes, doentes ou então simplesmente se davam muito mal na história, deixando clara uma lição de moral – ser homossexual não é legal.

O poço da solidão, porém, fazia um apelo a favor da tolerância e aceitação do invertido. Stephen, a heroína, era moralmente apta, uma escritora de prestígio, uma voluntária na guerra contra os alemães e condecorada por seu país. Enfim, uma pessoa de bem, mas que havia tido a infelicidade de nascer invertida. Hall, sabendo que o público ainda não estava preparado para um final feliz e orgulho-

[36] Cline, Sally. *Radclyffe Hall, a woman called john.*

so, fez uma concessão antecipada à moralidade inglesa e, ao escrever o livro, tratou de dar um final não muito belo para a sua personagem Stephen: ela entrega de bandeja a sua namorada para um homem, para que esta não sofra as mazelas do preconceito e da exclusão da sociedade.

Essa estratégia bem calculada, entretanto, não evitou que o livro fosse julgado. Em novembro de 1928, pouco mais de três meses após a sua publicação, foi iniciado o processo, sob alegação de obscenidade. Alguns dos mais prestigiados escritores e artistas ingleses formularam uma carta de apoio a Hall, assinada mesmo por aqueles que não apreciavam a obra (Hall era escritora de folhetins amenos, considerados menores). Bernard Shaw, E.M. Foster e Virginia Woolf foram alguns que encabeçaram um movimento pela liberdade de expressão e defenderam a liberação do livro, senão por seus méritos literários, simplesmente por princípio.

Virginia Woolf já conhecia Radclyffe Hall – ela e a "esposa" de Hall, *lady* Una Troubridge, se freqüentaram na juventude – mas foi sua amiga e amante Vita Sackville-West quem a convenceu a levar adiante o protesto e a testemunhar no julgamento do livro. Woolf não testemunhou, embora estivesse disposta a fazê-lo, pois o juiz que presidia o julgamento dispensou toda e qualquer defesa, alegando que todas as provas, a favor e contrárias, já se encontravam na própria obra. Isso, no entanto, não impediu que Woolf escrevesse uma carta ao jornal *Nation*, em tom irônico e assinada em conjunto com E.M.Foster, perguntando às autoridades: "... E os outros assuntos mais ou menos impopulares, como controle da natalidade, suicídio e pacifismo? Podemos falar deles? Esperamos instruções!"[37].

De nada adiantou o apoio de artistas de prestígio, mas considerados "loucos e excêntricos". O tribunal proibiu a comercialização do livro na Inglaterra. À proibição no Reino Unido seguiu-se uma onda de restrições à obra em outros países. A partir daí, *O poço da solidão* virou objeto de culto e passou a ser contrabandeado, dos países onde era liberado, para os lugares onde fora proibido: vendeu cerca de 100.000 cópias ao ano até 1943, ano em que Hall morreu,[38] e continua vendendo bem até hoje (a segunda edição brasileira foi lan-

[37] LEE, Hermione. *Virginia Woolf.*
[38] CLINE, Sally. *Radclyffe Hall, a woman called john.*

çada pela Record em 1998). Não havia quem não tivesse ouvido falar do livro nos anos que se seguiram ao julgamento. Uma peça de teatro foi adaptada e encenada três anos depois – em Paris, naturalmente. Em Hollywood, corria à boca pequena que Samuel Goldwin (o G da MGM), ouvindo falar do sucesso do livro, quis transformá-lo em filme. Seus assessores, porém, alertaram-no de que a tarefa seria difícil, pois a personagem principal era lesbiana, ao que Goldwin respondeu: "E daí? Podemos fazê-la americana!"[39]. A ignorância de Goldwin, que virou anedota, dá a dica de quanto *O poço da solidão* tornou-se popular depois de sua proibição.

Hall nunca mais escreveu outro livro que fizesse tanto sucesso e, ironicamente, o seu prestígio e a sua reputação ficaram abalados para sempre. A partir da década de 30 viveu uma espécie de exílio entre Rye (onde isolava-se numa casa de campo) e Paris (onde suas inclinações sáficas não chamavam atenção) até sua morte, durante a Segunda Guerra. Ela não viveu a tempo de ver seu livro liberado na Inglaterra, em 1949.

Radclyffe Hall não era uma escritora brilhante, era admiradora de Mussolini, era fruto da elite agrária inglesa e apoiava o Partido Conservador (apesar de, no julgamento, ser apoiada pelo Partido Trabalhista). Mesmo em relação à homossexualidade era tremendamente tradicional: abominava o amor livre e a promiscuidade, e acreditava no casamento baseado na exclusividade e na fidelidade. Mesmo assim, a despeito do seu reacionarismo, produziu uma obra de fundamental importância para a visibilidade das lésbicas no mundo todo e que chacoalhou as estruturas da sociedade tradicional. Nunca, jamais, a palavra "lésbica" havia sido tão pronunciada. Graças a *O poço da solidão*, jovens do mundo inteiro souberam da existência do amor entre mulheres. O livro – e que ironia o nome – tirou muitas mulheres do poço e também da solidão.

[39] MADSEN, Alex. *Forbidden lovers.*

Proibido para menores

Durante a minha adolescência, era muito difícil ter acesso a filmes pornográficos. Não existia vídeo-cassete na década de 1970 e era praticamente impossível entrar num cinema para assistir a um filme pornô, proibido para menores de dezoito anos. Eu até alimentei esperanças de assistir ao famigerado *O último tango em Paris*, mas de nada adiantou. E nem era pornô bagaceira, era um "filme de arte". Os únicos filmes de sacanagem que me lembro de ter visto nessa época eram uns rolinhos de super-8 e 16 mm, importados da Suécia, que o irmão de uma amiga minha colecionava e que, dizia-se na época, eram mais "quentes" que as pornochanchadas brasileiras exibidas nos cinemas.

Se a Suécia, já naquele tempo, era uma espécie de paraíso da liberação sexual, hoje continua a exportar produtos culturais avançados em termos de sexualidade. Em 1999, o filme *Fucking Amäl* (aqui no Brasil, *Amigas de colégio*) estourou nas bilheterias do país escandinavo, uma performance só comparada lá ao *blockbuster Titanic*. O filme conta a história de uma garota entediada numa pequena cidade da Suécia – Amäl – e como ela quebra a monotonia ao se apaixonar por outra garota do colégio, tímida, mas muito mais interessante que qualquer outra da turma. É uma história bem típica de adolescentes em busca de uma identidade e termina com uma clássica e metafórica, ainda que literal, saída do armário. Minto: elas saem do armário dizendo que vão fazer amor, mas a última cena mesmo mostra as duas, no quarto, tomando leite achocolatado – mais doce e pueril, impossível.

Essa "sessão da tarde" lésbica é o melhor exemplo de como na Suécia a homossexualidade não é mais considerada proibida para menores. Aliás, num país que teve como grandes mitos duas lésbicas – a rainha Christina e Greta Garbo – as coisas não poderiam ser de outra forma. O assunto é tão corriqueiro que o plano de marketing local para o lançamento do filme não tocava nem uma vez na palavra "lesbianismo". A questão homossexual parecia tão periférica para o diretor que ele não via necessidade de divulgar o filme como sendo lésbico. E não pensem que isso provocou uma revolta das senhoras de Santana de Estocolmo: o filme foi visto por centenas de milhares de adolescentes e seus pais não se sentiram de maneira nenhuma ludibriados pela omissão da questão lésbica na propaganda – tal é a naturalidade com que o assunto é tratado nesse país onde a união civil entre homossexuais é legalizada desde 1995.

Já aqui no Brasil a homossexualidade ainda é um assunto proibido para menores. Em setembro de 1999, foi baixada pelo Ministério da Justiça a famosa portaria 796, estabelecendo a classificação etária dos programas de tv. Sem querer discutir os critérios para essa classificação, gostaria apenas de ressaltar a diferença discriminatória que há entre situações hetero e homossexuais. Afinal, segundo as regras do bom senso de quem classifica os filmes e programas de tv, a criança tem que ser muito mais madura para assistir a um beijo homossexual do que para assistir a um beijo heterossexual. Poderíamos até dizer que um beijo lésbico eqüivale, segundo a portaria, a uma cena de sexo comportado heterossexual.

Em 1998 a revista gay *Sui Generis* foi recolhida pela sua própria empresa distribuidora pois trazia na capa um beijo entre dois homens. A edição de junho pretendia, de uma vez só, celebrar o dia dos namorados e a semana do Orgulho Gay que aconteciam naquele mês. A distribuidora usou o Estatuto da Criança e do Adolescente para basear a decisão de retirar a revista de circulação. Um acordo feito na seqüência permitiu que a revista fosse vendida envolta em um plástico preto, como são comercializadas as revistas de sexo *hard-core*.

O raciocínio aqui é que crianças e adolescentes podem ser prejudicados ao deparar com a "deplorável" visão de dois homens se beijando. Na época, várias opiniões sobre o assunto foram emitidas, quase sempre indignadas com o fato de um beijo poder chocar mais que as cenas de violência estampadas nos jornais e exibidas na tv.

Mas eu gostaria de comparar pão com pão e queijo com queijo: há uma clara discriminação no fato de apenas o beijo homossexual ser proibido para menores.

Parece que, ao lançar mão do Estatuto, estão querendo proteger crianças e adolescentes da terrível influência de gays e lésbicas. Essa é uma clara atitude preconceituosa. Imagino que, se não por força da nossa Constituição (que não é clara sobre o assunto), mas pelo menos por uma questão de bom senso, gays e lésbicas não devem ser discriminados. Por isso mesmo não devem ser encarados como portadores inatos de influências negativas, seres terríveis ou potenciais pervertidos. Esse consenso em torno da proibição para menores em tudo que se refere a relacionamentos gays – mesmo as manifestações mais pueris, inocentes e adolescentes, como no caso do *Fucking Amäl* – é uma enorme falta de vontade de discutir e colocar a questão gay no cerne da família brasileira. Ninguém quer discutir e parece que a maioria não está mesmo preparada para responder às duvidas e indagações dos próprios filhos sobre a homossexualidade. Melhor para essas pessoas que exista um sistema de classificação que os libere da responsabilidade de conversar sobre sexo com as crianças e os adolescentes – principalmente quando sexo quer dizer sexo gay.

O consolo é que, se na década de 1970 os filmes pornográficos suecos eram considerados os mais radicais mesmo para os adultos e se *O último tango* teve a cena da manteiga censurada, hoje a pornografia é até que bem aceita como entretenimento adulto. Isso só pode indicar que daqui a duas décadas – e estou sendo otimista – poderemos ver um beijo gay liberado para menores de catorze anos. Porque criança não é burra e preconceito é mais fácil de curar, eliminar e prevenir quando ainda se é jovem.

Santa Joana, padroeira das lesbianas

Questão polêmica e delicadíssima, a sexualidade de Joana D'Arc já foi exaustivamente discutida. Não é para menos: a santa vestia-se de homem, usava os cabelos curtos, empunhava a espada miraculosa de Santa Catarina e, apesar de nunca ter tido um treinamento apropriado, cavalgava como uma amazona experiente e lutava como um soldado veterano.

Joana dizia apenas estar obedecendo as vozes dos três santos que apareciam para ela – Santa Catarina, Santa Margarida e São Miguel Arcanjo – e que, ao pedirem que Joana lutasse contra os ingleses, acharam melhor que ela se vestisse de homem para não suscitar desejo nos soldados que a acompanhavam. Durante os quase três anos que vão da sua saída de Domrémy, sua terra natal, até a sua morte na fogueira em Rouen, Joana viveu entre homens e, portanto, vestiu-se como um deles.

Vita Sackville-West, a amante de Virginia Woolf que inspirou *Orlando*, escreveu em 1936 uma biografia de Joana D'Arc em que aventava a possibilidade de Joana ter gostado de garotas.[40] É sabido que a donzela de Orleans, virgem até o último fio de cabelo, dormia com jovens garotas ao seu lado, na cama, quando estava hospedada temporariamente em algum castelo, nos intervalos entre as batalhas. Esse artifício era visto também como uma garantia para que nenhum homem ousasse se aproximar dos seus aposentos, pois Joana prezava a sua virgindade acima de tudo. Mas quando dormia nos

[40] SACKVILLE-WEST, Vita. *Santa Joana D'Arc.*

acampamentos com os soldados, Joana dormia sozinha e não admitia outras mulheres ao redor, alegando que elas distraíam os soldados e favoreciam a sem-vergonhice – o que não ficava bem para um exército que lutava uma guerra santa.

O fato é que Joana adorava vestir-se de homem e, se a armadura ajudava na tarefa de dessexualizá-la perante os seus soldados no campo de batalha, a grande verdade é que, mesmo na corte, onde não precisaria usar esse artifício, Joana caprichava na beca. Vaidosa, mandava confeccionar calças, gibão e capa da mais alta qualidade, bom gosto e beleza.

Quando foi capturada pelos ingleses e levada à prisão,[41] Joana viu mais motivos ainda para conservar a sua vestimenta masculina: ela achava os ingleses sujos e tinha medo de ser estuprada em sua cela. Durante o seu julgamento por heresia, foi questionada inúmeras vezes a respeito da sua preferência por roupas que seriam mais adequadas a um homem. Joana dizia vestir-se assim por vontade de Deus.

O julgamento, que se estendeu por quase cinco meses, foi aos poucos minando as forças da menina. Apesar de ser julgada por uma corte eclesiástica, ela estava encarcerada numa prisão militar. Julgada por heresia, as motivações da sua condenação eram claramente políticas. O mito da garota de dezoito anos que tomou Orleans e devolveu a coroa para o rei da França despertou de vez o sentimento nacionalista dos franceses, abatido pela guerra dos cem anos. Joana havia se tornado um símbolo para os franceses e precisava ser eliminada.[42]

Mais que previsível – na verdade tudo havia sido premeditado –, o tribunal eclesiástico a condenou à fogueira. Acusaram-na de apóstata, suspeita de heresia, mentirosa, de comportar-se de maneiras não muito próprias a uma mulher, de provocar um cisma na Igreja e de blasfemar contra Deus e os santos. Contudo, as regras da Inquisição permitiam a um condenado se salvar caso se arrependesse: Joana poderia admitir a sua culpa, prometendo se comportar, escapando assim da condenação à morte. Por medo do fogo – e

---

[41] O sujeito que a capturou derrubou-a do cavalo puxando-a pela roupa, vejam só!

[42] Bernard Shaw, na introdução de sua peça *Santa Joana*, considera a donzela de Orleans como um arauto do nacionalismo e do protestantismo.

porque Santa Catarina havia dito que seria salva –, a garota abjurou e prometeu submeter-se à Igreja. Joana prometeu também nunca mais vestir-se de homem.

Só que, ao invés de ser libertada ou mandada para uma prisão eclesiástica, Joana voltou ao cárcere dos ingleses depois de assinar sua abjuração. Contrariada – pois estava crente que seria libertada depois da abjuração – e com medo de ser estuprada, Joana retomou as vestes masculinas. Era tudo que os ingleses queriam. Atônitos e furiosos com o inquisidor francês que a perdoou, os ingleses esperavam apenas por uma recaída de Joana para enquadrá-la no que era considerado pelo Santo Ofício como crime de reincidência. Chamada de volta ao tribunal para explicar porque havia retomado os trajes masculinos, Joana respondeu: "Achei mais adequado vesti-los, já que estou vivendo entre homens. Retomei as minhas antigas roupas porque o que me foi prometido não foi cumprido, que eu iria à missa e que me tirariam dos ferros" e que "eu preferiria morrer a permanecer nos ferros, mas se me permitirem ir à missa e me tirarem dos ferros, e se me puserem numa prisão agradável, e se eu tiver uma mulher que cuide de mim, eu serei boa e farei o que a Igreja quiser".[43]

Não adiantou. Dessa vez Joana foi condenada à fogueira, sem chance de voltar atrás. Ela teve o seu cabelo raspado e vestia um manto quando foi amarrada à estaca, na praça central de Rouen. Quando o fogo estava já bem alto e Joana morta, os soldados apagaram as chamas para que a população pudesse ver o seu corpo de mulher, queimado, mas com as formas visíveis e os seios expostos – para que todos vissem que por trás da armadura e do traje masculino estava uma moça.[44] Depois, atearam fogo novamente. Diz a lenda que tudo queimou, menos o coração de Joana.

Quase vinte anos após a sua morte, um julgamento de reabilitação foi iniciado para inocentar Joana e provar que o primeiro julgamento havia sido arbitrário e cheio de erros.[45] O que motivou a

[43] PERNOUD, Régine. *Joan of Arc by herself and her witnesses.*

[44] GORDON, Mary. *Joan of Arc.*

[45] Shaw atenta para a ironia dos fatos relacionados aos dois julgamentos de Joana: durante a condenação, o processo foi límpido, cristalino e dentro da lei, embora tenha errado em seu desfecho; durante o processo de reabilitação, entretanto, foram ditas mentiras e cometidos perjúrios para que se corrigisse o desfecho infeliz do primeiro julgamento.

abertura desse processo foi, na verdade, a necessidade que Carlos VII tinha de legitimar a sua condição de rei da França. Afinal, ele fora coroado por Joana e não ficava bem ter sido posto no trono por uma herege. Além do mais, a França agora estava unida, a ameaça inglesa já não existia e o povo, que nunca havia sido convencido da culpa de Joana, poderia ter a sua heroína de volta, morta, mas agora um mito – tão grande que tornou-se mais tarde a padroeira da França.

O processo de beatificação e canonização de Joana, entretanto, durou muito mais tempo. A Igreja nunca conseguiu aceitar ou colher argumentos adequados para tornar Joana uma santa. A menina era arrogante, quase provocou um cisma na Igreja e as suas motivações eram claramente políticas. Os seus cabelos eram curtos e a sua espada e a sua armadura não combinavam bem com o comportamento mais pudico das santas que a precederam. Somente na década de 1920, marcada pela liberação feminina, pela participação ativa de mulheres na guerra, quando muitas delas começaram a cortar o cabelo *à la garçonne* e a usar calças, a Igreja achou conveniente a existência de uma santa mais compatível com a Nova Mulher que surgia. Finalmente, a 16 de maio de 1920, Joana D'Arc foi canonizada.

A garota Joana nunca se conformou com uma vida de camponesa e preferiu os campos de batalha. Jamais desejou entregar o seu corpo a um homem nem passava pela sua cabeça ser mãe e esposa. Gostava de empunhar o seu estandarte e a sua espada e de vestir-se como um homem. Foi durona até o fim. Por essas e por outras, é a mais perfeita santa padroeira das lesbianas. Seu dia, a data em que foi queimada, é 30 de maio. Sua cor não é cor-de-rosa: é azul-celeste e vermelho incandescente.

O amor que não ousa deixar rastros

Por que tanta gente acha que lesbianismo é coisa recente, invenção da mente sem-vergonha contemporânea e que só a degeneração da espécie pode justificar? Um dos motivos para a perpetração desse equívoco é a total falta de documentação do amor homossexual através da história. Afinal, considerado ilícito, quem iria deixar provas do seu crime? Aqui no Brasil temos pouquíssimos documentos que abordam o assunto, por conta dos motivos já citados e também pela falta de preservação da memória, uma característica do brasileiro.

Do período Colonial temos vários registros sobre atividades lésbicas (que por sinal não estão guardados aqui, mas na Torre do Tombo, em Portugal) que constam dos documentos da Inquisição Portuguesa. Durante a Primeira Visitação do Santo Oficio ao Brasil, entre os anos de 1591 e 1595, foram indiciadas 29 mulheres suspeitas de praticar sodomia[46] – que era o termo geral para homossexualidade, mesmo a feminina. Entre essas mulheres, seis foram condenadas com penas que iam da simples repreensão até açoitamento em praça pública e degredo. Uma delas, portuguesa, já cumpria pena de exílio aqui no Brasil e parece que reincidiu na brincadeira. No entanto, mais branda que a Inquisição Espanhola, a versão portuguesa não condenou nenhuma delas à morte.

A riqueza de detalhes desses processos nos dá uma idéia da vida que levavam as "praticantes do roçadinho", como eram chamadas. A

[46] BELLINI, Ligia. *A coisa obscura: mulher, sodomia e Inquisição no Brasil Colonial.*

baiana Felipa de Souza foi, com certeza, a que recebeu os maiores castigos: açoitada no pelourinho e condenada ao degredo da capitania depois de ouvir as suas culpas anunciadas em voz alta para toda população presente na praça. Tudo isso porque Felipa não conseguia conter seus impulsos românticos-sexuais e havia, segundo depoimento de várias outras mulheres, namorado pelo menos meia dúzia de raparigas. Segundo esses depoimentos, Felipa presenteava, mandava cartas e dizia palavras lascivas às mulheres por quem sentia "grande amor e afeição carnal"[47].

Outra das suspeitas era Francisca Luís, negra liberta nascida em Portugal e já indiciada pelo crime nefando em sua terra natal. Ela já havia sido vista aos berros, louca de ciúme, gritando para a sua amante que a havia deixado por um homem: "Velhaca! Quantos beijos dás a seu coxo e abraços não dás a mim um... Não sabes que quero mais a um cono que a quantos caralhos aqui há?"[48] (cono era o termo geral para xoxota). Apesar de não apreciar caralhos, diziam de Francisca: "Dorme carnalmente com a ditta molher solteira chamada a do velludo e que tem o ditto ajuntamento nefando com hum instromento cuberto de velludo".[49] Pois não é que as roçadeiras do Brasil Colonial já usavam consolos e *sex toys*?

Mas é uma pena que só tenhamos documentos ligados à Inquisição, documentos policiais ou médicos. Os fatos relativos à vida particular de lésbicas que não foram nem indiciadas por crime nem objeto de estudo médico ou científico nunca foram postos no papel, já que esse amor não ousa deixar rastros.

Nos séculos que se seguiram às Visitações do Santo Ofício, sabemos um pouco da prática lésbica apenas através de notinhas nas páginas policiais dos jornais, geralmente referindo-se a prisões de mulheres que foram encontradas na rua vestidas de homem.[50] Excetuando-se esses registros, quase mais nada há em termos de documentação sobre a prática lesbiana no Brasil até o início do séc. XX.

O polêmico antropólogo Luiz Mott, que revelou a bissexualidade de Zumbi dos Palmares, levanta suspeitas em relação a duas figuras femininas importantes da nossa história em seus livros

---

[47] Idem.

[48] Idem.

[49] Idem.

[50] MOTT, Luiz. *Homossexuais da Bahia.*

Homossexuais da Bahia e *Lesbianismo no Brasil*. Em relação à primeira delas, Maria Quitéria, diz que, se não há como afirmar que teria sido lésbica, pelo menos há provas de "que a grandiosa heroína baiana viveu como travesti, no papel de Soldado Medeiros".[51] A segunda delas é ninguém menos que a imperatriz Leopoldina, que teve, seguramente, uma paixão platônica pela inglesa Maria Graham durante o período em que esta foi governanta de Dona Maria, Princesa Imperial.

A intensa amizade entre Maria Graham e a imperatriz Leopoldina acabou despertando o ciúme das damas da corte, todas portuguesas, que exigiram o afastamento imediato daquela governanta inglesa que insistia em tratar negros humanamente e em ensinar ciências naturais e biologia para as filhas da Imperatriz. As damas da corte ficavam horrorizadas com as maneiras independentes de Maria Graham, que foi finalmente afastada depois de recusar-se a beijar a mão do imperador D. Pedro I. Essa foi a explicação oficial para o afastamento da governanta, mas, sem dúvida, as intrigas e o ciúme das damas em relação ao amor que a Imperatriz nutria por Maria foram o motivo principal da sua saída.

Nas cartas de Leopoldina – que sempre escrevia sob estrita vigilância de parasitas da corte – pode-se perceber o enorme afeto por Maria em trechos como: "Minha cara amiga, começo por dizer-vos que a vossa última carta me causou bem doce prazer, e que posso assegurar-vos, quanto à minha amizade, que penso mil vezes em vós, minha delicada amiga, e nos deliciosos momentos que passei em vossa amável companhia". Essas cartas, escritas depois da separação forçada, oferecem pistas do clima hostil que rondava a Imperatriz na corte: "Estou acostumada a resistir e a combater os aborrecimentos, e quanto mais sofro pelas intrigas, mais sinto que todo o meu ser despreza estas bagatelas. Mas confesso, e somente a vós, que cantarei um louvor ao Onipotente, quando me tiver livrado de certa canalha."[52]

Se esses trechos parecem polidos e educados demais para significar um amor lascivo, é bom lembrarmos que todo cuidado era pouco e as cartas de Leopoldina eram lidas e censuradas antes de serem postadas. A impressão que pode ficar é a de estar procuran-

[51] Idem.

[52] Correspondência entre Maria Graham e a imperatriz Leopoldina.

do chifre em cabeça de vaca – uma sensação já familiar a muitos homossexuais que tentam decifrar um passado que deixou pouquíssimas pistas. Muitas vezes o que fica é a impressão de que alguns homossexuais tentam, histericamente, buscar exemplos e justificativas no passado, tirando do armário figuras históricas que não deveriam ter o seu nome jogado na lama.

Mas não é bem assim. Primeiro, revelar a homossexualidade de um personagem histórico não significa de maneira nenhuma jogar o seu nome na lama. Quem afirma isso pensa que o amor homossexual é indigno e que só os aspectos mais louváveis de uma pessoa merecem ser biografados. Ou então acham que a homossexualidade de certa figura é assunto privado e, portanto, não interessaria para compor um perfil biográfico. Ora, tudo isso é uma grande bobagem! Há uma enorme quantidade de biografias que se debruçam sobre a vida íntima e sexual dos seus personagens heterossexuais. Por que não revelar também as inclinações e os aspectos homoeróticos da vida desses e de outros personagens? A resposta é simples: puro preconceito e falso moralismo.

Se a falta de documentação dificulta a pesquisa sobre o homoerotismo nos primeiros quatro séculos da nossa história, esse nosso recém-terminado séc. XX ainda não foi devidamente investigado sob esse aspecto. Muitos dos nossos heróis e personagens mais recentes eram gays ou bissexuais e, aos poucos, biografias mais completas estão sendo publicadas, sem que se acoberte a sexualidade do biografado. No momento em que escrevo está sendo prometido o lançamento de uma biografia de Alberto Santos Dumont que, parece, não vai menosprezar sua homossexualidade. Ironicamente, a biografia está sendo escrita por um inglês (se fosse escrita por um brasileiro, este poderia esperar uma saraivada de ataques, a exemplo dos sofridos por Luiz Mott por ocasião do *outing* de Zumbi).

Quanto ao lesbianismo, a carioca Carmen Oliveira já nos presenteou com uma biografia do casal Elizabeth Bishop e Lota Macedo Soares, no livro *Flores raras e banalíssimas*. A homossexualidade de Bishop e de Lota já havia sido revelada em um par de biografias da poeta americana, publicadas anteriormente nos Estados Unidos. O livro de Carmen, no entanto, lança mais luz sobre a figura polêmica e excepcional de Lota Macedo Soares, brasileira que deu a vida para transformar, erguer e embelezar o aterro do Flamengo. Quando Lota morreu, os amigos brasileiros disseram que Bishop havia matado Lota de desgosto. Carmen Oliveira discorda e afirma, referendando as suspeitas de Bishop na época, que a politicagem que envolvia a questão do Parque do Flamengo foi o que minou as forças de Lota: "O Brasil matou Lota".[53]

E o Brasil pode continuar a deixar mortos muitos mais personagens interessantes se não resolver cultivar a sua memória. No que se refere aos homossexuais, é necessário mais empenho das universidades contra uma certa homofobia acadêmica que menospreza e julga "histeria gay" qualquer interesse de pesquisar o homoerotismo. Mais uma vez: querer saber e conhecer os aspectos homoeróticos de uma determinada cultura ou da vida de algum personagem histórico em particular não é perversão nem fuxico elevado à instância de cadeira acadêmica.

Quanto aos personagens relevantes da nossa história que ainda estão vivos, eu espero daqueles que são gays, lésbicas e bissexuais que, por favor, deixem mais pistas para aqueles que virão depois de nós. Se não se sentem à vontade para sair do armário agora e mostrar que não têm problemas com a sua homossexualidade, pelo menos deixem algum relato para a posteridade. Mesmo aqueles que são assumidos, sendo figuras públicas ou não, é interessante que deixem registros desse amor que já ousa dizer o seu nome. Porque o amor heterossexual nunca deixará de ser fotografado, documentado e colocado nas capas de revistas e tratados como tema central em centenas de milhares de livros e biografias, quase por inércia. Já o amor homossexual, se não fizermos um esforço consciente para deixarmos registros e documentos, estará sempre sofrendo o perigo de, a qualquer momento, voltar a cair na obscuridade e no limbo do esquecimento.

[53] OLIVEIRA, Carmen. *Flores raras e banalíssimas.*

BIBLIOGRAFIA

Livros:

Andahazi, Frederico. *O anatomista.* Relume-Dumará, Rio de Janeiro, 1997.
Angier, Natalie. *Mulher, uma geografia íntima.* Editora Rocco, Rio de Janeiro, 2000.
Bagemihl, Bruce. *Biological exuberance: animal homosexuality and natural diversity.* Stonewall Inn Editions, St. Martin Press, New York, 1999.
Barnes, Djuna. *Ladies almanack.* New York University Press, New York, 1992.
__________. *Nightwood: the original version and related drafts.* Dalkey Archive Press, Illinois State University, Bloomington-Normal, 1995.
__________. *O bosque da noite.* Editora Relógio D'Água, Lisboa, Portugal, 1987.
Bechdel, Alison. *Dykes to watch out for: the sequel.* Firebrand Books, Ithaca, New York, 1992.
Bellini, Ligia. *A coisa obscura: mulher, sodomia e Inquisição no Brasil Colonial.* Editora Brasiliense, São Paulo, 1987.
Benstok, Shari. *Women of the left bank: Paris, 1900-1940.* University of Texas Press, Austin, 1986.
Cameron, Loren. *Body alchemy: transsexual portraits.* Cleis Press, Pittsburgh, Pennsylvania, 1996.
Cline, Sally. *Radclyffe Hall: a woman called John.* The Overlook Press, New York, 1997.
Faderman, Lillian. *Odd girls and twilight lovers: a history of lesbian life in twentieth-century America.* Penguin Books, Middlesex, England, 1992.
Fischer, Erica. *Aimée & Jaguar: uma história de amor. Berlim, 1943,* Editora Record, Rio de Janeiro, 1999.
Gordon, Mary. *Joan of Arc.* Viking Penguin, Middlesex, England, 2000.

Grace, Della. *Love bites*. GMP, London, 1997.

Graham, Maria e Maria Leopoldina – *Correspondência entre Maria Graham e a Imperatriz Leopoldina*. Editora Itatiaia Limitada, Belo Horizonte, 1997.

Hall, Radclyffe. *O poço da solidão*. Editora Record, Rio de Janeiro, 1998.

Hering, Philip. *Djuna, the life and work of Djuna Barnes*. Penguin Books, Middlesex, England, 1996.

Jung, C.G.. *AION: Estudos sobre o simbolismo do si-mesmo*. Editora Vozes, Petrópolis, 1976.

Lapsley, Hilary. *Margaret Mead and Ruth Benedict, the kinship of women*. University of Massachusetts Press, Amherst, 1999.

Lee, Hermione. *Virginia Woolf*. Alfred A. Knopf, New York, 1998.

Leon, Vicki. *Mulheres audaciosas da Antigüidade*. Editora Rosa dos Tempos, Rio de Janeiro, 1997.

__________. *Mulheres audaciosas da Idade Média*. Editora Rosa dos Tempos, Rio de Janeiro, 1998.

Livia, Anna. *A perilous advantadge: the best of Natalie Barney*. New Victoria Publishers, Norwich, Vermont, 1992.

Madsen, Alex. *Forbidden lovers, hollywood's greatest secret: female stars who loved other women*. A Citadel Stars Book, Secaucus, New Jersey, 1996.

Mead, Margaret. *Male and female: the classic study of the sexes*, Quill William Morrow, New York, 1975.

Miller, Neil. *Out of the past: gay and lesbian history from 1869 to the present*. Vintage Books, New York, 1995.

Mott, Luiz. *Homossexuais da Bahia: dicionário biográfico*. Editora Grupo Gay da Bahia, Salvador, 1999.

__________. *Lesbianismo no Brasil*. Editora Mercado Aberto, Porto Alegre, 1987.

Oliveira, Carmen L. *Flores raras e banalíssimas*. Editora Rocco, Rio de Janeiro, 1995.

Pernoud, Régine. *Joan of Arc by herself and her witnesses*. Scarborough House, New York, 1982.

Platão. *Platão*. Abril Cultural (coleção Os Pensadores), São Paulo, 1972.

Proust, Marcel. *Em busca do tempo perdido*. Editora Globo, São Paulo, sem data..

Sackville-West, Vita. *Santa Joana D'Arc*. Editora Nova Fronteira, Rio de Janeiro, 1994

Safo. *Safo: tudo o que restou*. Interior Edições, Além Paraíba, Minas Gerais, 1987.

Shaw, Bernard. *Saint Joan*. Penguin Books, Middlesex, England, sem data.

Summerscale, Kate. *The queen of whale cay: the life of a great american eccentric*. Penguin, Middlesex, 1999.

Souhami, Diana. *Gertrude & Alice*. José Olympio Editora, Rio de Janeiro, 1995.

____________. *The trials of radclyffe hall.* Widenfeld & Nicolson, London, 1998.

Thadani, Giti. *Sakhiyani: lesbian desire in ancient and modern India.* Cassell, London, 1996.

Trefusis, Violet e Sackville-West, Vita. *De Violeta Para Vita.* L&PM, Porto Alegre, 1993.

Vainfas, Ronaldo. *Trópico dos pecados: moral, sexualidade e inquisição no Brasil.* Editora Nova Fronteira, Rio de Janeiro, 1997.

Weiss, Andrea. *Paris was a woman, portraits from the left bank.* Harper Collins, San Francisco, 1995.

Woolf, Virginia. *Orlando.* Editora Nova Fronteira, Rio de Janeiro, 1978.

____________. *Three guineas.* Hartcourt Brace & Co, New York, sem data.

____________. *Um teto todo seu.* Editora Nova Fronteira, Rio de Janeiro, 1984.

Na internet:

Arquivo Folha – UOL:
http://www.uol.com.br
CIO – e-zine para lésbicas:
http://www.uol.com.br/mixbrasil/cio2000/
Edward Carpenter – The Intermediate Sex (em inglês):
http://www.fordham.edu/halsall/pwh/carpenter-is.html
The Clitoris.com (em inglês):
http:// www.the-clitoris.com/
Whoosh – International Association of Xena Studies (em inglês):
http://www.whoosh.org
Addicted To Noise – Riot Grrrls invade the "Lesbian Woodstock" (em inglês):
http://www.addict.com/issues/1.03/Features/Riot_Grrrls/
Saint Joan of Arc's Trials – Transcrição do julgamento de Joana D'Arc (em inglês):
http://www.stjoan-center.com/Trials/
Sui Generis – site oficial da revista e da coluna "Grrrls":
http://www.suigeneris.com.br
Mr.Showbiz – revista de entretenimento (em inglês):
http://mrshowbiz.go.com
New Scientist – artigo sobre a Dra. Helen O'Connell:
http://www.newscientist.com/ns/980801/women.html

SOBRE O AUTORA

Vange Leonel nasceu em São Paulo em 1963. Como cantora e compositora lançou três discos – *Nau* (CBS Discos – 1987), *Vange* (Sony Music – 1991) e *Vermelho* (Medusa Records – 1995). Alcançou os primeiros lugares das paradas de sucesso em todo o Brasil com a música "Noite preta", tema de abertura da novela *Vamp*, da Rede Globo. Em 1992 recebeu o prêmio Sharp como cantora revelação no gênero pop-rock e no mesmo ano assumiu publicamente sua homossexualidade. A partir de 1997 passou a assinar a coluna GRRRLS na revista *Sui Generis* e a escrever e editar, junto com a jornalista e letrista Cilmara Bedaque, o e-zine CIO, na Internet, ambos direcionados ao público gay feminino. Em 2000 estreou como autora de teatro com a peça *As sereias da Rive Gauche*, sobre um grupo de artistas lésbicas da década de 1920.

FORMULÁRIO PARA CADASTRO

Para receber nosso catálogo de lançamentos em envelopes lacrados, opacos e discretos, preencha a ficha abaixo e envie para a caixa postal 12952, cep 04010-970, São Paulo-SP, ou passe-a pelo telefax (011) 5539-2801.

Nome: ____
Endereço: ____
Cidade: ______________________ Estado: ________________
CEP: __________-________Bairro: ____________________
Tels.: (___) ____________________ Fax: (___) ____________
E-mail: ___________________ Profissão: ________________
Você se considera: ☐ gay ☐ lésbica ☐ bissexual ☐ travesti
☐ transexual ☐ simpatizante ☐ outro/a: ____________________

Você gostaria que publicássemos livros sobre:
☐ Auto-ajuda ☐ Política/direitos humanos ☐ Viagens
☐ Biografias/relatos ☐ Psicologia
☐ Literatura ☐ Saúde
☐ Literatura erótica ☐ Religião/esoterismo
Outros:

Você já leu algum livro das Edições GLS? Qual? Quer dar a sua opinião?

Você gostaria de nos dar alguma sugestão?

Impresso em off set

Rua Clark, 136 – Moóca
03167-070 – São Paulo – SP
Fonefax: (0XX) 6605 - 7344
E - MAIL - bookrj@uol.com.br

com filmes fornecidos pelo editor